KB077139

카르마 정화와 깨달음을 위한 심리치유&마음공부 [개정판]

심리치유를 통해 건강한 에고를 만들고
마음공부를 통해 에고 초월하기

카르마 정화와 깨달음을 위한 심리치유&마음공부 [개정판]
- 심리치유를 통해 건강한 에고를 만들고 마음공부를 통해 에고 초월하기

발   행 | 2023년 12월 10일
저   자 | 송준영
펴낸이 | 한건희
펴낸곳 | 주식회사 부크크
출판사등록 | 2014.07.15.(제2014-16호)
주   소 | 서울특별시 금천구 가산디지털1로 119 SK트윈타워 A동 305호
전   화 | 1670-8316
이메일 | info@bookk.co.kr

ISBN | 979-11-410-5835-7

www.bookk.co.kr

카르마 정화와

깨달음을 위한

심리치유&마음공부

[개정판]

심리치유를 통해
건강한 에고를 만들고
마음공부를 통해
에고 초월하기

송준영 지음

제도하시는 내면의 부처님 공경합니다.
이 책과 인연되는 모든 사람들이
심신의 평온함을 되찾아 건강한 사회인으로 활동하고
신심발심하여 무시겁으로 지은 업보업장 해탈탈겁하고
모든 재앙은 소멸하고 소원은 성취해서,
부처님 시봉 잘하고 복 많이 짓기를 제도 발원합니다.

모든 것은 당신이 하시며, 모든 영광을 당신께 드립니다.

일단 이 책들을 읽어 놓으시면,
내용들이 잠재의식 속에 저장되어
적재적소에 필요한 내용을
의식의 장에 떠올려 줄 것입니다.

그러므로 억지로 암기하거나
내 태도가 되게 하려 하지 마시고
그저 '이런 견해도 있을 수 있구나' 하며
가벼운 마음으로 읽으시길 바랍니다.

저자 소개

송준영

"내면의 치유와 의식 성장을 돕는 안내자"

어릴 적 트라우마로 인해 공부가 인생의 전부인 줄 알고 살다가 입시에서 좌절을 맛본 후 20대의 여러 해를 방황했습니다. 괴로움에 몸부림치다 진정한 행복을 위해선 깨달음을 구하라는 말을 듣고 본격적으로 마음공부를 하기 시작했습니다.

치과기공사로 일하던 중, 스스로를 치유한 경험을 살려 타인의 마음을 치유해주는 사람이 되겠다는 결심으로, 현재는 강남역의 '강남 최면심리상담센터 지안'에서 인연이 되는 분들의 마음을 돌보는 삶을 살고 있습니다.

- 강남 최면심리상담센터 지안(至安) 대표
- 기업 대표, 연예인, 심리상담사, 전문직, 종교인 등 최면치유 다수 진행
- 마리끌레르 코리아 24년 2월호 최면치유 특집기사에 소개
- '한 권으로 끝내는 EFT 감정자유기법', 'EFT 감정노트', 'EFT 행복노트', '카르마 정화와 깨달음을 위한 심리치유&마음공부' 저자
- '1분 마음공부' 유튜버

- 동국대학교 불교대학원 명상심리상담학과 졸업
- 서울사이버대학교 상담심리학과 졸업
- 대구보건대학교 치기공과 졸업

- 한국상담학회 전문상담사 2급 수련
- KACD 인증 상담심리지도사 1급
- 동국대학교 인증 명상상담사
- ABH 인증 Certified Hypnotherapist
- TPTF 인증 Client Centered Parts Therapy Facilitator
- KMH 인증 Modern Hypnosis Master Hypnotherapist
- ABH 인증 Certified Master Hypnotist
- TLTA 인증 Time Line Therapy™ Master Practitioner
- ABNLP 인증 NLP Master Practitioner
- TPAL 인증 EFT/TFT Master Practitioner
- CTAA 인증 Sound Therapy Practioner

- KMH 인증 최면 전문가를 위한 EFT 수료
- CTAA 인증 Aromatherapy Therapists Course 수료
- IAOTH 인증 The EMDR Therapy Course 수료
- ICS 인증 의식성장 workshop level 1~3 수료

- 한국상담심리학회 정회원
- 한국상담학회 정회원
- 한국초월영성상담학회 정회원
- 한국NLP상담학회 정회원
- 한국심리치료상담학회 정회원
- 한국중독상담학회 정회원

- 홈페이지: https://litt.ly/mindful_jun

<목차>

머리말

'마음공부 101 : 삶의 기본 태도 잡기'와 '구름 위를 사는 삶'을 거쳐 '카르마 정화와 깨달음을 위한 심리치유&마음공부'라는 책이 나온 뒤 1년이 흘렀습니다. 틈틈이 영감이 떠오를 때마다 인스타에 적은 글을 모아 편집해 나온 것이 바로 이 책입니다. 이 책이 출판된 뒤 약 6개월 동안 내용을 추가하고 수정했습니다. 그래서 '카르마 정화와 깨달음을 위한 심리치유&마음공부'의 개정판이 출판되었습니다.

과거 지독한 우울증에서 빠져나와 내면의 안정을 찾고 이해와 연민의 마음으로 살게 되기까지 도움이 된 가르침들 중 핵심을 나눔으로써, 행복을 찾고자 하는 분들께 조금이나마 도움이 되고자 이 책을 출판하게 되었습니다.

책 내용 중에 일부 반복되는 내용이 있을 겁니다. 그런 내용들은 그것들이 실제로 중요하기 때문에 제가 반복해서 얘기하는 것입니다. 읽으면서 자연스럽게 익히시게 되는 효과가 있을 것입니다. 삶이 혼란스러워 삶의 나침반이 필요했던 제가 그랬던 것처럼, 스펀지가 물을 빨아들이듯이 본인의 마음을 비우고 간절하게 읽으실수록 효과가 좋으실 것입니다. 사실 이 마음공부와 깨달음에 대한 관심이 마음속에서 올라오는 분들은 엄청난 복을 받으신 거라고 생각합니다.

제가 도움을 받은 분들의 저작들을 이미 읽으신 분들도 이 책을 읽으시면 좋습니다. 왜냐하면 이 책은 자칫 어려울 수 있는 마음공부의 내용들을 이해하기 쉬운 언어로 담은 책이기 때문입니다. 또한, 이 책은 군더더기는 제외하고 마음공부의 핵심이라고 생각되는 내용들을 담고 있어, 여러분들의 시간이 낭비되지 않도록 도와줍니다. 마지막으로, 여러분이 알고 있는, 마음공부의 주요 내용들과 비교하여 이미 알고 있는 것에는 공감하고, 몰랐던 것들은 학습하는 기회를 얻으실 수 있습니다.

저는 다음에 열거되는 인물 또는 도서로 마음공부를 했으니 참고 부탁드립니다.

법륜 스님, 신과 나눈 이야기, 영혼들의 여행, 에드가 케이시, 웰컴투 지구별, 광우스님, 데이비드 호킨스, 백성욱, 라마나 마하리쉬, 니사르가다타 마하라지, 호오포노포노, 기적수업, 대행스님, EFT, 달라이 라마, 박진여, 켄 윌버, 에크하르트 톨레, 법상스님, 아디야 샨티, 마이클 싱어 등.

마지막으로 이 책을 읽으시는 모든 분들이 신심발심하여 내면의 부처님 시봉 잘 하길 기원합니다.

2023. 12

I.삶을 사는 지혜 : 용심 즉, 마음 씀씀이

1.고난이 축복이란 말

당신이 우울함에 빠져 허우적대고 괴로워하는 것이 내면의 성숙을 위한 담금질일 수 있습니다. 괴로움이 있기에 행복을 향한 길을 찾아 나서게 되고 그 길을 걸어 나가면서 이상과 아집이 깨집니다. 즉, 내 기존의 사고방식이 바뀌고 내면에 쌓인 부정적인 감정과 신념을 해소하면서 마음이 편안해지는 것입니다. 더불어 타인과 세상을 향한 시각도 좀 더 온전하고 따뜻하게 됩니다.

마음공부를 시작하는 사람은 대부분 삶이 괴롭습니다. 괴롭지 않고 자기가 원하는 대로 삶이 굴러가는 사람 중에 마음공부를 하는 사람은 극히 드문 것 같습니다. 마음공부를 통해 어느 정도 내면의 평안을 찾은 사람들은 한결같이 '그때의 그 괴로움이 내 인생의 축복이었다'라고 말합니다. 물론 그 당시에는 그렇게 느껴지지 않지만 말입니다.

2.현재 가진 것에 감사하기

현재 내가 누리고 있는 환경들이 요행이 얻어졌다는 인식과 함께 '이것들이 사라지면 난 어떻게 살까'하는 집착과 두려움이 느껴질 때가 있습니다. 이럴 땐 주어진 상황이 언젠간 변화할 것이지만 그전까지는 감사한 마음으로 누리겠다는 마음가짐을 갖는 것이 내면의 평화에 도움이 됩니다. 그리고 이런 감사의 마음가짐과 더불어 이런 환경을 누리지 못하는 사람들을 향한 연민의 마음을 가지고 그들의 고통과 괴로움을 덜어달라고 기도하는 것 또한 마음의 평안에 도움이 됩니다. 예를 들어, 지금의 남자친구가 아주 마음에 드는데, 이 친구와 헤어지게 되면 어떨까 두렵다면, 두려워하는 대신 이 친구와 만나는 것에 대해 감사하고, 지금 혼자 있어 외로움에 시달리는 사람들이 외로움에서 벗어나길 기도하는 것입니다.

마지막에 말한 '타인의 괴로움을 덜게 해달라'는 기도는 자신이 괴로움을 겪을 때 마음을 편안히 하기 위해서 효과적입니다. 예를 들어 내가 이성 친구가 없어 너무 외로운 상황이라면 이렇게 이성 친구가 없어 외로움에 괴로워하는 사람이 비단 나뿐만이 아니란 것을 인식하고 그렇게 괴로워하는 사람들을 상상한 뒤 그들을 위로하는 마음, 지지해주는 마음, 그들의 괴로움에 연민을 느끼는 마음을 내면 내 내면의 외로움이 사라집니다. 자기 자신 또한 한 인간 존재로서 객관화해 위로해도 괜찮습니다. 어떻게 하든 내 마음에 자신과 타인을 향한 사랑이 생겼기 때문에 괴로움이 사그라드는 것입니다.

우리는 사랑을 받지 못해 외로운 것이 아니라, 우리 마음속에 사랑이 없어 외롭습니다. 즉, 우리가 다른 존재를 사랑하지 않아 괴롭습니다. 자기 자신을 향하든 타인을 향하든 존재 그 자체를 사랑으로 감싸 안을 때 외로움은 사라집니다.

3.한 인간 존재로 바라보기

'한 인간 존재'의 의미는 내가 어떤 사람을 특정한 기대를 가지고 보는 것이 아니라 그저 나와 같은 평범한 한 인간 존재로서 보는 것을 뜻합니다. '부모님은 나에게 더 잘 대해 줬어야 했어', '그 친구는 나에게 그러면 안 되지', '내 남자친구라면 또는 여자친구라면 그래선 안 되지' 등 우리는 살면서 우리와 관계 맺는 많은 사람에게 어떤 기대를 하고 또 실망하면서 삽니다. 그 기대들이 항상 충족되면 얼마나 좋겠냐 만은 세상이란 그렇지 못합니다. 그러면 그 기대가 어긋날 때마다 우리는 실망하고 원망해야 할까요? 아닙니다. 이해와 연민이라는 강력한 태도가 우리를 괴로움에서 건져줄 수 있습니다. 내가 기대한 그 사람들이 그 역할이기 이전에 즉, 부모이자 이성 친구기 이전에 한 인간이라는 것을 이해하면 됩니다. 그들에게 덧씌운 내 기대를 벗겨내고 그들이 실수할 수 있고 어떨 땐 연약하기도 한 인간이라는 것을 인지하는 것입니다. 이렇게 그들을 역할과 당위를 가진 존재로서 바라보는게 아니라 그저 불완전한 한 인간 존재로 바라볼 때, 그들을 향한 실망과 원망이 잦아듭니다.

예를 들어, 어릴 때 엄마에 의해 보육원에 맡겨진 어떤 한 사람이 엄마에 대한 원망을 품고 살아간다고 합시다. 이런 사람은 '엄마는 날 버리면 안 됐었다'라는 원망 대신에 '날 낳았을 때 엄마 나이도 고작 20대였다. 내가 20대가 된 지금, 20대는 너무나 어리고 철이 없는, 본인 몸 하나 건사하기도 벅찬 그런 나이였다.'라고 이해하며 엄마를 그저 20대의 불완전한 한 여자로 바라볼 수 있습니다. 이렇게 타인을 위해 이해하고 연민의 마음을 낼 때 내 마음속의 원망이 녹아내리고 마음이 편안해집니다.

4.사람은 순간순간 최선의 선택을 한다

이 원리를 아는 것은 살면서 겪게 되는 수많은 원망스러운 순간들에서 나 자신을 구할 수 있습니다. 우리 자신의 과거를 떠올려 봅시다. 우리는 대학을 갈지 재수를 할지 갈림길에서 재수를 하는 것이 최선으로 보여서 재수를 선택했고, 누군가를 사귈 때도, 어떤 직장을 선택할 때도, 어떤 행위를 선택할 때도 그 행위를 하는 또는 안 하는 것이 최선이라 여겼기 때문에 그렇게 한 것입니다. 물론 시간이 지나 미래에서 과거를 보면 아쉬움이나 후회가 남을 순 있습니다. 하지만 그때 당시의 내 수준에서 보면 그때 당시보다 더 낫게 생각할 수도, 설사 더 좋아 보이는 선택지를 알았다 해도 그렇게 할 동기나 의지가 없었다는 것을 알 수 있습니다. 따라서 지나간 과거에 대해 자신을 자책하거나 괴로워할 필요가 없습니다. 다만, 반성하고 앞으로는 다른 선택을 하겠다고 결심할 수는 있겠지요.

이 사실은 타인에게도 적용되므로 타인을 원망하거나 비난할 필요도 없습니다. 다만, 그가 '그때는 더 잘 알지 못했을 뿐'이라는 사실을 알고 무지했던 자신이나 타인을 향해 연민의 마음을 가지면 충분합니다. 물론 우리는 현실 세계에 살고 있으므로 선택에 따른 결과는 받아들여야 합니다. 제가 말하고자 하는 것은 지나친 죄책감과 자기 또는 타인 비난에서 벗어나 연민과 사랑의 태도를 취하자는 것입니다.

5.부정적 태도에 숨어있는 은밀한 쾌락

저는 20대 때 무엇인가를 꾸준하게 하지 못하는 사람이었습니다. '꾸준하게'라는 단어가 상대적인 의미가 있지만 적어도 제가 가진 자아상은 그랬습니다. 중간에 자꾸 그만두니 성과는 없었고 이런 자신을 못마땅하게 여기며 자책했습니다. 재수를 할 당시에 6월에 슬럼프가 와서 공부를 그만두고 학원에서 짐을 챙겨 집으로 오는데 제 내면에서 이런 마음이 드는 것을 알아차렸습니다. "또 그만뒀네! 역시 또 이럴 줄 알았어. 내가 그럼 그렇지 뭘" 이 마음은 일종의 자책하고 스스로를 차갑게 비웃는 마음이었는데, '역시 난 안된다'라는 마음과 동시에 미묘하게 만족감이 드는 것을 발견했습니다.

이것은 마치 자포자기의 마음에 딸려오는 일종의 체념과 냉소의 성질을 띠는 만족감 그리고 나는 역시 안된다는 걸 증명함으로써 오는 은밀한 쾌락 같은 것이었습니다. 살펴보면 이런 자기연민과 같은 은밀한 만족감이 부정적 태도들에 숨어있습니다. 부정적 태도에서 이러한 은밀한 쾌감을 느끼기 때문에 부정적 태도에서 벗어나기가 어렵습니다. 우리 마음의 일부는 이런 부정적 태도에 중독이 되어있기 때문입니다.

제가 말씀드리고 싶은 것은 이런 부정적인 태도로부터 우리가 모종의 정신적인 단물을 빨고 있다는 것을 알아차리고 이것을 기꺼이 포기해야 한다는 것입니다. 이런 은밀한 쾌락은 자신이 어떤 사건의 피해자라는 억울함, 어떤 일이 정의롭지 못하다며 따지는 분노, 타인은 도덕적이지 못하며 자신은 도덕덕 우위를 차지한다는 우월감, 나는 못난 사람이라는 우울감 등 거의 모든 부정적인 태도에 숨어있습니다. 우리는 이런 부정적 태도의 뒤에 이런 은밀한 만족감이 있다는 것을 인정하고 이것을 기꺼이 포기할 것을 택해야 합니다. 부정적 태도에서 내가 은밀한 만족감을 느끼고 있다는 것을 깨닫고 살펴본 뒤, 더 이상 이런 은밀한 쾌락을 취하지 않기로 선택할 때라야 이런 태도를 포기할 수 있고 더 건강한 삶의 태도를 취할 수 있습니다.

6.머리로는 알지만 가슴이 따라주지 않을 때

우리는 살면서 머리로는 알지만, 마음, 더 구체적으로는 감정이 따라주지 않아 고생하며 괴로워하는 경우가 많습니다. 무엇을 해야 할지 머리로는 알아도 마음에선 하기 싫은 것이죠. 이럴 때 감정을 해결할 수 있는 방법이 있습니다. 바로 놓아버림이라고 하는 방법입니다. 놓아버림에 대해 구체적으로 얘기하기 전에 우선 생각과 감정에 관해 얘기해보겠습니다.

우리는 살면서 괴로운 생각과 감정을 느끼면 곧잘 회피합니다. 예를 들어, 게임을 하거나, 스마트폰을 보거나, 친구를 만나 수다를 떨거나, 술을 마십니다. 이렇게 마음을 회피하면 그 순간은 괴롭지 않은 것 같지만 곧이어 공허함, 괴로움이 다시 발생합니다. 근본적으로 해결이 되지 않는 것이죠. 정신적인 괴로움은 우리가 처한 상황에 대한 저항에서 비롯되는데, 이런 저항에는 앞에서 말한 행동들이 포함됩니다.

우리가 회피해 내면에서 해소되지 못한 감정 때문에 생각이 자꾸 떠오릅니다. 예를 들어, 우리가 누군가와 싸우고 그 분노의 감정을 해결하지 못 하고 집으로 돌아왔을 때, 자꾸 그 사람과 있었던 일을 곱씹는 것을 생각해보면 쉽게 이해가 가실 겁니다. '그 놈한테 이렇게 얘기 했어야 했어', '그 놈한테 이렇게 했어야 했는데', 이러면서 별별 생각이 다 드는 것은, 내면에 분노의 감정이 해결되지 않아 그런 것입니다.

우리는 이럴 때 생각을 다르게 좋게 하려고 하면서 마음을 가라앉히려고 시도하는데 썩 추천할 만한 시도가 아닙니다. 오히려 이럴 땐 생각을 다루려 하지 말고 감정을 다루는 데 집중해야 합니다. 감정은 일종의 에너지라서 우리가 회피하게 되면 그 에너지가 우리 내면에 쌓이게 되고 여러 문제를 일으킵니다. 하지만, 감정의 에너지를 해소해주면, 문제와 관련된 생각이 더 이상 일어나지 않고 내면도 편안해 집니다. 그러면 감정이 에너지를 해소하는 방법은 무엇일까요? 바로 놓아버림이라는 방법을 사용할 수 있습니다.

놓아버림을 하는 구체적인 방법을 '분노'라는 감정을 가지고 설명해보겠습니다. 우선 내면에서 분노가 느껴진다는 것을 알아차립니다. 내면에 주의를 돌려 감정을 알아차리는 것이 첫 번째입니다. 평소에 우리의 주의는 밖으로만 향해있어 내 마음이 어떤지 알지 못합니다. 즉, 평소엔 시선이, 일, 스마트폰 등 밖에만 가 있습니다. 분노라는 감정을 알아차린 뒤에는, 분노라는 감정 자체에만 집중하여 그 감정을 더욱더 생생하게 오롯이 느낍니다. 그리고 다음과 같은 태도로 임합니다. '이 분노의 감정을 충분히 느껴서 내 마음속에 남기지 않게 하겠다.' 이 말이 무슨 말이냐면, 아까 말씀드렸다시피 감정은 에너지라, 우리가 저항하거나 회피하면서 감정을 있는 그대로 수용하고 느껴주지 않으면, 이 감정이 내면 깊은 곳에 쌓이게 됩니다. 살면서 쌓인 이런 감정들을 해소하기 위해, 느껴지는 감정을 다만 받아들이며 더 이상 느껴지지 않을 때까지 충분히 올라오도록 허용 즉, 있는 그대로 느끼면, 쌓인 감정이 점차 해소되면서 최종적으로는 사건을 떠올려도 분노의 감정은 느껴지지 않고 무덤덤해집니다. 어쩌면 그 사건에 대한 기억이 흐릿해질 수도 있습니다. 왜냐하면 사건에 대한 기억이 그 당시 느껴진 감정과 연합되어 편도체에 저장되는데, 기억에 대한 감정이 해소되기 때문입니다.

주의해야 할 점은 감정을 느끼면서 감정에 꼬리표 즉, 분노, 우울, 욕심 등 이런 말을 붙여 느낄 때마다 떠올릴 필요는 없으며 그저 내 가슴이나 다른 신체 부위에서 느껴지는 그 감정의 느낌에 초점을 맞추고 '이런 게 안 느껴졌으면 좋겠다'와 같이 저항의 태도를 포기하고, 그 감정을 있는 그대로 수용하면서 충분히 올라와 해소될 수 있도록 하는 것입니다.

또한 감정이 아닌 떠오르는 생각에 대해서는, 마치 우리가 길을 가면서 행인들에 무신경한 것처럼 무시합니다. 감정에만 집중합니다.

이 놓아버림 기법은 비단 감정뿐만 아니라 신체적인 통증이나 내게 일어나지 않았으면 하는 상황에 처했을 때 느껴지는 감정 등 모든 부정적인 상황에서 느껴지는 감정들, 신체 감각들에 사용할 수 있습니다.

감정이 아닌, 신체적 고통이나 배고픔 등의 경우에 초점의 대상은 신체에서 느껴지는 지점입니다. 평소와 다르게 느껴지는 그 신체의 부분, 예를 들면 배고픔의 경우에는 명치 쪽에서 느껴지는 텅 빈 느낌 그 자체에 집중하면서 그 감각에 배고픔이라는 꼬리표를 붙이고 생각하지 않습니다.

명치에서 텅빈 감각이 느껴지면 자동반사적으로 흔히 따라오는 밥을 먹어야 한다는 생각을 놓아버리고, 다만 느껴지는 감각에 집중합니다. 그러면 그곳엔 배고픔은 없고 다만 특정하게 느껴지는 감각만이 있을 뿐입니다. 이렇게 계속 느껴나가면 우리가 흔히 배고플 때 느껴지는 그 감각이 사라집니다.

괴로움은 내가 처한 현실에 대한 저항에서 비롯되기에 곧바로 저항하기를 의도적으로 포기하고 현실을 받아들이는 것이 심리적 괴로움을 발생하지 않게하는 지름길입니다. 물론 배가 고픈데, 가만히 앉아서 배고픔이 사라지길 바라면서 느끼고 있으라는 말은 아닙니다. 배가 고프면 밥을 먹으십시오. 단, 배가 부른데도, 감정적인 허기 때문에 과식해 살이 찔 때나, 부정적 감정을 평소에 해결할 필요가 있을 때, 이런 방법을 쓸 수 있다는 것입니다. 마음공부는 항상 발은 현실에 내 딛고 있으면서 하는 것입니다. 마지막으로, 오늘 배운 놓아버림을, 뒤에서 말씀드릴 EFT 즉 감정자유기법의 두드리기와 함께 하시면 감정 해소 효과가 더 빠르고 좋습니다.

7.연민의 마음

살다 보면 우리는 부정적인 생각이나 감정을 많이 겪습니다. 보통은 이런 것들에 대해 우리는 애써 외면하거나 긍정적으로 생각하려 합니다. 어떤 사람들은 아예 떠오른 부정적 생각이나 감정에 완전히 빠져들어 괴로움에 허우적대거나 그것에 따라 행동합니다. 하지만 이런 부정성에 끌려가는 대신 좋은 대안이 있습니다.

금강경에서 부처님은 깨달음을 얻기 위해선 모든 중생들을 구제하라는 마음을 내라고 합니다. 저는 이 얘기를 마음이 평안에 도달하기 위해선 자신과 타인을 향해 사랑과 연민의 마음을 품으라는 말로 이해했습니다. 이 방법을 구체적으로 삶에 적용하는 방법은 다음과 같습니다.

우선 떠오르는 부정적인 생각이나 감정을 알아차립니다. 예를 들어 외로움이라고 해봅시다. 그렇다면 지금 이 외로움을 '나의' 외로움이라고 보지 말고, '인간으로 태어났다면 누구나 겪을 수 있는, 인간 존재로서의 약점이나 고통'으로 인식하는 것입니다.

흔히들 사람들이 개인적인 고통으로 인식하는 것들을 인류가 보편적으로 겪는 고통이라고 인식하고 그것을 겪고 있는 사람들을 상상하며 그들을 향해 연민의 마음 즉, 고통받고 있는 그들이 괴롭지 않았으면 하는 마음, 그들을 지지하고 힘을 북돋아 주는 마음, 그들이 힘든 지금 이 순간을 부디 잘 버티어 주었으면 하는 마음 등 연민과 사랑의 마음을 품는 것입니다. 이렇게 내 마음속에, 사랑으로 대표되는 연민이라는 높은 에너지가 자리잡으면서 내 마음속 외로움이 사그라듭니다.

요약하면, 부정적인 감정 느껴질 때 이 감정을 중생이 겪는 고통 중 하나로 보고 그들의 마음을 구제해 평안에 이르게 하려는 보살의 마음(연민)을 내라는 것입니다. 이것을 예수님이 사람들을 고통에서 구제해 주시려는 마음이라고 생각하셔도 괜찮습니다.

8.우울이 나를 삼킬 때

우울하면 아무것도 하기 싫고 방안에만 있고 싶습니다. 저의 경험에 비춰볼 때 우울감은 뇌의 호르몬 분비에 불균형이 일어나거나 제가 마음을 잘못 먹어서 발생하는 것 같습니다. 저는 전자의 경우를 예방하기 위해 먹고, 자고, 움직이는 측면에서 신경을 씁니다. 먹는 것에 관해서는 아침은 되도록 챙겨 먹고 식사는 균형 있게 하루에 두 끼 이상 챙겨 먹습니다. 패스트푸드나 라면, 빵 등 영양소가 편중된 음식들은 되도록 피하고 삶은 달걀, 콩, 두부와 같은 영양적으로 균형 잡힌 식품들을 섭취하려고 합니다.

특히 영양제를 챙겨 먹는 것이 중요한데, 영양제는 우울증 예방에 좋은 비타민D, 오메가3, 종합비타민, 유산균, 비타민C, 칼슘, 마그네슘 등을 챙겨 먹습니다. 특히 비타민D는 하루 5,000IU씩 꼭 먹습니다. 다른 영양제를 드실 여유가 안 되더라도 비타민D는 꼭 챙겨 드시길 바랍니다. 그리고 제 네이버 블로그에 영양제 관련 팁이 있으니 참고하시기 바랍니다.

자는 것은 하루 8시간 이상씩 꼭 자려합니다. 밤에 못 자면 낮에 잠을 꼭 보충하고 늦은 밤까지 깨어있지 않고, 아무리 늦어도 1시 이전에는 꼭 자려고 합니다. 경험상 잘 먹어도 잠이 부족하면 무기력감과 우울감이 찾아왔습니다. 하지만 잠을 충분히 자주면 이런 부정적인 감정들이 하루 이틀 내로 사라졌습니다.

몸을 움직이는 측면에서는 하루 1만 보 걷기, 스쿼드, 팔굽혀펴기 등을 실천했습니다. 체중조절과 함께 자신감과 성취감 증진, 우울증 예방에 도움이 됐습니다.

이렇게 육체를 챙겨주는 것은 우울증과 무기력증 방지에 굉장히 중요하다고 생각합니다. 데이비드 호킨스 박사님이 '인류의 2/3는 우울증에 취약한 뇌 구조를 가지고 태어난다고 하신 것으로 기억하는데, 이를 생각하면 영양제 섭취를 비롯해 수면과 운동 그리고 마음공부는 굉장히 중요한 것 같습니다. 저도 이런 요소들을 잘 챙겨서 우울증으로부터 회복되는 체험을 했습니다.

우울증을 예방하기 위해서는 육체적인 측면과 아울러 사고방식도 긍정적으로 변화시키기 위해 신경 쓸 필요가 있습니다. 저 같은 경우에는 주로 이상과 현실 사이의 괴리로 인해 우울감을 많이 느꼈는데, 이상을 버리고 지금 있는 그대로의 나와 현 상황을 받아들이니 상황도 긍정적인 방향으로 바뀌기 시작하면서 우울함도 사라졌습니다.

부정적인 사고방식에는 당위적인 사고방식 예를 들면, 난 무엇

무엇을 해야 해, 무엇무엇이 꼭 이루어져야 해 등과 같은 생각이 있고, 융통성 없는 사고방식, 이분법적 사고방식 즉, 모 아니면 도라는 사고 방식 그리고 비현실적인 것을 기대하는 사고방식 등이 있습니다. 이런 사고방식을 포기할수록 마음이 편해집니다.

평상시 사고방식의 변화와 더불어 과거 트라우마에서 미해결된 핵심 감정과 신념을 해소하는 것도 매우 중요합니다. 이런 것들을 해소하지 않으면 내면에 남아 정신건강에 영향을 미치게 됩니다. 이 부분은 추후 EFT 즉, 감정자유기법의 설명이 나올 때 본인의 트라우마에 적용하여 해소하시면 됩니다.

평소에 잘 먹고 잘 자고 긍정적으로 생각하려는 노력과 더불어 부정적인 감정이 올라올 땐 그에 대해 놓아버림이 필요합니다. 심리적 괴로움이 생기는 이유는 우리가 처한 상황에 대한 저항 때문입니다. 지금 내가 우울하고 아무것도 하지 못하는 현실에 불만족하고 불평하는 태도는 일종의 저항하는 태도인데, 이런 태도를 포기하고 지금 처한 현실 즉, '우울하고 침대 위에 누워서 잠만 자는 이 현실'을 비판 없이 마치 영화에서 타인이 이러는 것을 보는 것처럼 담담히 받아들여야 합니다. 이렇게 수용적인 자세로 받아들이고 난 후에야 마음이 다스려지고 긍정적인 방향으로 변화가 시작될 수 있습니다. 자기 자신을 다그치고 채찍질하는 자세는 우울감을 더 악화시킵니다.

자신의 감정을 있는 그대로 알아차리고 받아들인 후 내려놓는 방법 즉, 놓아버림에 대해 설명드리겠습니다. 이 놓아버림을 할 때는 눈을 떠도 되지만 처음에는 눈을 감고 내면에서 느껴지는 우울함을 알아차립니다. 중간에 떠오르는 생각들은 무시하고 오로지 그 감정에만 주의를 기울입니다. 그 우울함이 신체 중 가슴의 위치에서 물리적으로 느껴진다면 가슴과 그 느낌에 집중합니다. 집중하면서 이 우울감을 수용의 태도로 충분히 느껴줍니다. 아무런 저항감 없이 우울감이 느껴져도 괜찮다는 태도로 느끼는 것입니다. 우울감도 감정의 일종으로 이 에너지를 계속 느끼면 에너지가 소진되어 더 이상 올라오지 않고 사라집니다. 감정의 에너지를 다 소멸시켜 더 이상 올라오지 않게 하겠다는 태도로 적극적으로 느낍니다. 감정의 에너지가 다 소진되기까지 몇 분이 걸릴 수도 있고 몇 시간, 길면 몇 달이 걸릴 수도 있습니다. 개인적인 체험으론 분노의 감정에 대해서 이렇게 하면 효과를 금방 볼 수 있었습니다. 그렇다고 분노의 감정에 관해서만 쓰라는 것이 아닙니다. 모든 부정적인 감정에 대해 놓아버림이란 기법을 사용할 수 있습니다.

이렇게 감정을 처리하다 내가 가져왔던 그릇된 신념을 인지하게 된다면 그 신념조차 놓아버리십시오. 즉, 포기하십시오. 예를 들면 분노의 감정을 느끼다보니 갑자기 '그래도 엄마는 그러면 안 되지'라는 생각이 떠오른다면, 그 생각을 포기하길 선택하십쇼. 왜냐하면 생각이라는 것은 우리가 현상에 의미를 부여한 사족에 불과하기 때문입니다. 즉, 진실과는 거리가 먼 머릿속의 환상일 뿐이기 때문입니다.

다시 한 번 말하자면, 이 놓아버림이란 작업은 내면에 쌓인 부정적인 감정들을 걷어내는 작업으로 꾸준히 해나가는 게 중요합니다.

9.삶의 가치를 어디에 두고 살 것인가

내 개인의 영달을 위해 살 때 문제가 잘 안 풀린 적이 많았습니다. 그리고 항상 미래가 걱정됐습니다. 남들과의 경쟁에서 뒤처질까 봐 걱정, 내가 목표로 한 것을 이룰 수 있을까, 실패하진 않을까 하는 등 걱정들이 꼬리에 꼬리를 물고 일어났습니다. 심지어 목표를 이루었다고 해도 끝이 아니었습니다. 하루, 이틀, 길면 일주일 동안만 좋고 마음은 또 다른 미래의 목표를 설정하고 현재에 불만족하며 미래를 보고 있었습니다.

'나는 어떤 것을 이뤄야 해'라는 이상이 강할수록 그것이 좌절되거나 이루어질 것 같지 않을 때 더 괴로웠습니다. 하지만, 개인의 영달이 아닌 다른 사람들을 잘 섬기기 위한 것에 삶의 가치를 두고 살면 마음의 불안이 사라집니다. 타인을 돕기 위해서는 최고가 될 필요도 없고 지위, 명예, 재물에 대한 '욕심'도 다 떨어져 나갑니다. 타인을 돕는 것도 내가 할 수 있는 만큼만 하겠다고 원을 세우면 되고 또한 타인을 반드시 도와야 한다는 강박에 빠질 필요도 없습니다. 타인을 돕기 위해 돈이 필요하다면 그것은 더 이상 괴로움을 불러 일으키는 욕심 또는 집착이 아닙니다. 그것은 온전한 원 또는 바람이 됩니다.

자신의 영달을 위해 살 때는 어떤 일을 이루어 나가는 것이 힘겹고 벅찼지만, 타인을 위하는 목적으로 무엇인가 할 때는 훨씬 수월해지고 순조롭다는 것을 경험했습니다. 같은 일을 하고 있더라도 마음속에서 일을 하는 이유를 개인의 영달에서 찾으면 똑같은 일이 버겁게 느껴지고, 출근하기 싫어지고 그렇지만, 다른 사람을 섬기기 위해, 부처님 시봉하기 위해, 사회를 더 긍정적인 방향으로 나아가게 하는데 일조하기 위해 일을 하겠다고 마음먹으면 그 순간 마음의 짐이 덜어짐을 경험하실 수 있으실 겁니다. 다만, 겉으로는 타인을 위해 일한다고 하면서 속으로는 개인의 영달을 은밀히 바라고있는 것은 아닌지 스스로 깨어있으면서 잘 경계하십시오.

일에 장애가 있으신 분들은 그 일을 하려는 목적을 개인의 영달이 아닌 타인을 잘 섬기기 위한 것으로 다시 설정하고 그에 따라 마음가짐도 다시 먹고 일을 해나가 보시길 바랍니다.

10.원하는 것을 이루었을 때의 공허함

'살면서 목표로 했던 것을 이뤘는데 행복하지 않고 공허하다', '평소 즐겨하던 일이 이제 더는 즐겁지 않고 무가치하게 느껴지고 공허한 느낌이 든다' 이렇게 공허함을 느끼시는 분들에게 이 얘기를 드리고 싶습니다.

가치와 목표를 구분해서 가치를 추구하는 삶을 사시라는 것입니다. 목표란 예를 들어 '돈을 얼마 벌겠다, ~로 승진하겠다, 어떤 것을 이루어 내겠다' 할 수 있는 비교적 구체적인 것입니다. 그리고 대부분의 목표는 자기중심적입니다. 또한 목표는 다 함이 있습니다. 끝이 있다는 말입니다. 그래서 특정 목표를 달성하기 위해 앞만 보며 허겁지겁 살다가 막상 달성하면 달성의 쾌감은 짧고 허무함이 밀려옵니다.

이에 반해 '가치'는 그것의 달성이 끝이 없는 경향이 있고 이타적이며 다소 추상적이라 할 수 있습니다. 예를 들면, '세상을 더 나은 곳으로 변화시키는 데 일조하겠다', '사람들의 괴로움을 덜어 주는데 헌신하는 삶을 살겠다', '동물들을 보호하는 삶을 살겠다' 와 같은 것들입니다. 목표보다는 가치를 삶의 중점으로 두며 살 때, 공허감이 오지 않고 내면이 한결 편안해지며 충만해질 것입니다.

목표는 가치를 이루기 위해 거쳐야 할 단계라고 이해할 수도 있습니다. 이런 경우에도 목표보다는 큰 가치를 생각하고 마음에 품으시길 바랍니다. 가치를 이루기 위해서 매우 많은 목표가 있을 수 있고 그것을 달성하려고 애쓸지 모릅니다. 그러나, 목표를 이루는 것에 너무 많은 에너지를 쏟지 마시고, 항상 가치를 마음속에 품고 생각하십시오. 그러면 그 가치를 이루기 위해 필요한 많은 목표들 그리고 그것의 달성이 뒤따라오게 하십쇼. 다시 말하자면, 수많은 목표를 이루고 이루지 못함에 일희일비 하지마시고 항상 가치를 생각하세요.

11.빚 갚는 마음

전생과 윤회가 확실히 있는지는 저도 장담하지 못합니다. 믿음은 있지만, 제가 직접 경험해보지 못했고 그것에 대해 기억이 없기 때문입니다. 최면을 통해 나온 사례나 몇몇 사람들이 기억하는 전생 내용을 실제 역사와 비교하여 전생의 존재가 있다고 말하는 분들이 있긴 하지만 아직까지 전생의 존재 여부는 대부분 각자의 믿음에 달린 것 같습니다. 다만, 전생을 믿으시는 분이라면 이번 생을 사실 때, 빚 갚는 마음으로 사시길 바랍니다. 내가 아플 때, 손해 볼 때, 억울한 일을 당했을 때는 '빚을 갚았구나'라고 생각하시면 분한 마음이 덜하실 것입니다.

내가 복을 지을 때도 나중에 받을 공덕에 관한 생각 대신 바라지 않고 '내가 전생에 지은 빚을 이제 갚는 구나'하는 마음으로 하시길 바랍니다. 누군가에게 베풀 때, 바라는 마음으로 하시면 '내가 베풀었다'는 아상이 강화되고 바라는 마음이 듭니다. 그래서 나중에 상대가 나에게 받은 만큼 나에게 베풀지 않으면 억울한 마음이 들어 편하지 못합니다. 이왕 전생을 믿으신다면, 손해를 입었다고 생각될 땐 전생의 빚을 갚았고, 덕을 베푼다고 생각할 땐 바라지 않고 갚는 마음을 내는 태도로 믿으시길 바랍니다.

내생에 받을 복을 짓는다는 마음도 좋습니다. 부처님께서는 중생을 모든 힘 중에 복력 즉, 복의 힘이 가장 강하다고 하셨으며, 중생을 교화시키기 위해 복을 쌓는다는 말을 들은 적이 있습니다. 복이 없으면, 아무리 좋은 말을 해도 중생의 마음에 와닿기가 쉽지 않기 때문입니다. 복이 많은 사람이 좋은 말을 하면 중생들은 그 말을 쉽게 받아들이는 그런 영향이 있는 것 같습니다.

12.인간관계에서 무적이 되는 법

타인이 나에게 어떠한 것을 해주면 내가 행복해지리라 생각하는 것은 괴로움의 씨앗이 됩니다. 왜냐하면 타인은 나의 기대를 전부 채워 줄 수 없기 때문입니다. 특히 이 말은 연인관계에서 잘 적용됩니다.

타인에 의지해 내 행복을 구하려 하지 말고 내가 그저 타인을 위해 사랑하는 마음, 베푸는 마음, 신경 써주는 마음을 내면, 그들이 나를 좋아하든 싫어하든 관계없이, 내 내면에는 은은한 사랑과 평화의 감정이 피어납니다.

즉, 기대없이 무조건적으로 타인을 사랑할수록, 그들의 반응과 관계없이 나는 편안한 마음이 됩니다. 그들이 나를 미워하든 하지 않든 그것은 점점 더 상관이 없게 됩니다. 직접 실천하여 놀라운 효과를 경험해보세요.

나를 미워하는 사람을 무조건적으로 사랑하는 태도는 정말 마음의 평화를 가져옵니다. 나를 미워하는 사람을 사랑하는 방법은 그들이 불완전한 한 인간 존재이며, 그들은 그들 나름대로의 주관적 신념을 가지고 나를 바라보고 있다는 사실은 자각하는 것입니다.

주관적 신념은 주관적 해석으로 이어지며, 그들의 해석은 나에 대한 진실과 거리가 있습니다. 그들의 해석이 옳은 말처럼 느껴질 때는, 오로지 내가 스스로 그들이 말하는 내용을 먼저 믿을 때라야 가능합니다.

천재에게 바보라고 놀리면 천재는 그냥 허허 웃겠지만, 평소에 바보처럼 행동하는 사람이 바보라는 소리를 들으면, 보다 정확하게 얘기하면, 평소에 자기 스스로 모자란 구석이 있다고 마음속으로 믿는 사람이 바보 소리를 들으면 화를 내는 것과 같은 원리입니다. 자신이 스스로 그렇다고 믿는 말 또는 내용에만 상처 받을 수 있습니다.

13.성에 대한 탐닉 초월하기

타인과의 섹스에 몰두하거나 자위행위에 집착하는 상황을 자세히 살펴보면 그때 당시 우리 내면은 공허하거나 외롭습니다. 다시 말해 내면에 사랑이 없습니다. 욕망과 사랑은 다릅니다. 사랑은 인간을 소유물이나 도구가 아닌 인간 그 자체로 보고 조건 없이 사랑하는 것을 말합니다. 사랑이 없는 내면의 공허함을 오르가즘의 쾌락으로 채우기 위해 성행위에 몰두하지만, 순간의 쾌락은 내면의 공허한 구멍을 메우기엔 너무나 일시적입니다. 우리에겐 다른 사람과의 친밀감, 사랑받고 또 사랑하는 느낌이 필요한데, 이것을 일순간의 쾌락으로 대체하려 하니 별 효과가 없는 것입니다.

제가 볼 때 성중독을 해결하는 방법은 나 자신과 타인에 대한 사랑을 키우는 것입니다. 어떤 사람들은 이성을 자신의 성적 쾌락을 채우려는 도구로 여겨 상대에게 잘 대해줍니다. 즉, 섹스를 목적으로 이성에게 맛있는 식사와 근사한 선물, 기분 좋은 곳에 데려가기도 합니다. 또는 본인의 정서적, 물질적 만족을 채우기 위해 상대를 필요로 하기도 합니다. 하지만 이렇게 남을 이용하는 태도는 결국 상대방도 알아차리기 때문에 건전한 관계로 나아가기 어렵고 머지않아 삐걱거리기 마련입니다. 남을 내 욕망을 위한 수단으로 이용하는 태도는 상대 내면에 '내가 ~를 갖추지 못하면 상대가 떠날지도 모른다'라는 무의식적 분노 또는 두려움을 불러일으킵니다.

음란물을 보는 것도 어떻게 보면 이성의 몸을 보면서(이용하여) 내 욕구를 해소하는 것이라는 면에서 내 쾌락을 위한 섹스와 크게 다르지 않을 수 있다고 봅니다. 그렇다면 이런 태도를 대체할 만한 태도는 무엇이 있을까요? 바로 이성을 내 쾌락을 충족시키기 위한 도구가 아닌 소중한 한 인간 존재로 대우하길 선택하는 것입니다. 그리고 자기 내면에 올라오는 성욕에 대해, 인간이라면 겪는 자연스러움으로 보고, 연민의 마음으로 알아차려 수용함과 동시에 내면에서 느껴지는 공허함이나 외로움, 사랑받고 싶다는 느낌에 대해서도 같은 태도로 수용합니다.

앞에서 말하는 태도는 '당신은 소중한 존재입니다. 난 당신을 내 욕망을 충족시키기 위한 수단으로 삼고 싶지 않습니다. 그저 같은 인간으로서 존중하며 사랑합니다.'라는 태도를 말하는 것입니다. 인간으로서 성욕을 완전히 없애긴 매우 어려운 것이 사실입니다만, 성욕이 일어나는 순간 최대한 알아차려 그 성욕을 죄악시하지 않고 그저 인간 존재로서 자연스럽게 물려받은 성질이라는 앎을 가진 채 연민의 마음으로 느껴지는 대로 수용한다면 그 성욕의 에너지가 결국 사그라듭니다.

다시 한번 말씀드리지만, 알아차림에서 핵심은 느껴지는 감정에 대해 기꺼이 그 감정을 경험하려 하고(회피하지 않고) 그 감정 이면에 동반된 에너지를 소모하게 해 그 감정이 더는 떠오르지 않게 하는 것입니다. 이때 그 감정에 대한 비판적 태도가 아닌 연민과 수용의 태도(그런 감정이 일어날 수도 있음을 너그럽게 받아들이는 것)가 필수적입니다. 감정을 죄악시해서는 그 감정이 사라지지 않고 내면 깊은 곳에 남아, 끊임없이 생각 또는 충동을 일으키게 됩니다.

이렇게 감정을 놓아버리는 원리는 성욕에도 적용되며, 긍정적인 생각, 감정에도 똑같이 적용됩니다. 그저 내면에서 올라오는 것을 알아차리고 흘러 지나가게 할 뿐 집착하지 않는 것입니다.

14.기대와 사랑

분노는 좌절에서 오고 좌절은 기대에서 옵니다. 기대는 어떤 것이 마땅히 일어나야 한다는 믿음인데, 살다 보면 기대가 충족되지 못할 때가 있습니다. 예를 들면, 어린 시절 부모님으로부터 사랑을 충분히 받지 못해 분노와 원망에 사로잡힌 사람들이 있습니다. 우리가 신체와 마음이 건강하게 자라는 데 있어 어린 시절 부모님의 사랑과 섬세한 보살핌은 필수적입니다. 그런 것들이 주어졌다면 좋았을 것이라는 건 두말할 필요도 없습니다. 하지만 현실을 보면 반드시 그런 것들이 주어지지는 않는다는 것을 알 수 있지요.

본인이 어렸을 적 부모님의 사랑을 받지 못하고 자랐다고 생각한다면 우선 '나는 어린 시절 부모님으로부터 사랑을 받지 못하고 자랐다고 생각한다'라는 사실을 겸허히 인정하고 수용합니다. '사랑받았어야 했다'라는 당위적인 생각은 아무런 도움이 되지 않으므로 겸허한 마음으로 내려놓습니다. 대신 '나는 사랑 받았어야 한다'라는 생각을 하는 자체를 있는 그대로 수용하는 것이 좋습니다. 이런 수용의 자세에서 치유가 시작됩니다. 그것에 더해 내 의도대로 되지 않는 원망 같은 감정은 놓아버림 기법이나 EFT 기법으로 다루어 해소합니다.

남들이 나를 사랑하는 것은 내가 통제할 수 없으나 내가 남을 사랑하는 것은 나 자신이 선택할 수 있습니다. 남을 사랑하면 그 혜택은 나에게 옵니다. 내 마음이 평온하고 세상에 대해 우호적이기 때문에 세상도 내게 우호적으로 바뀝니다. 내 마음은 세상이 나를 어떻게 보는 것 같은지를 결정하는 중요한 지표가 됩니다. 물론 이런 마음가짐을 가지기 위해서는 내면의 해결되지 않은 감정을 우선 해결해야겠지요.

남을 사랑하는 태도 즉, 타인에 대한 이해와 연민은 기본적으로 '타인의 입장에선 그럴 수도 있겠다' 또는 '그 당시에 그 사람의 의식 수준에서는 그럴 수밖에 없었다'라는 것을 깨달음으로써 생길 수 있습니다.

세상에서 기대 없이 어떻게 사냐고 말씀하실 수도 있겠지만 내 삶에서 점점 기대를 내려놓고 그저 일들이 벌어지는 인연에 따라 살아가는 연습 즉, 어떤 일이 벌어지던 저항 없이 받아들이며 사는 것을 연습하면 화날 일이 줄어들고 오히려 감사한 마음이 생기는 것을 경험할 수 있습니다.

15.사람에게 따뜻하되 의지하지는 않기

서로 친해지면 보통 그 사람에게 어떤 기대가 생깁니다. 그 사람이 내게 해주길 바라는 어떤 것이 생깁니다. 하지만, 그 사람은 내가 원하는 대로 다 해줄 수가 없습니다. 그래서 필연적으로 그 사람에 대해 아쉬움과 실망이 뒤따르게 됩니다. 이런 실망이 심해지면 인간 전체에 대한 불신으로 이어지기도 합니다.

인간관계를 맺는 데 있어 저의 태도는 사람에게 따뜻하되 어떤 기대 같은 것을 될 수 있으면 하지 않는 겁니다. 우리는 서로 상대에게 기대되는 역할을 부여합니다. 역할에는 엄마, 아빠, 동생, 남자친구, 여자친구, 그냥 친구, 직장동료, 직장 상사, 선생님 등등 여러 가지가 있습니다. 하지만 이런 역할을 그 사람 위에 덧 씌우기 이전에 그 사람이 그저 한 인간 존재라는 것을 알아야 합니다. 그 사람에게 역할을 부여하여 '무엇무엇을 해야 했는데 하지 않았다'라는 의무를 씌워 인식하기 이전에, 때론 약하기도 하고 실수하기도 하는 그런 한 인간 존재인 줄 안다면, 그 사람을 그저 연민으로 바라볼 수 있게 됩니다. 자연히 그 사람에 대한 기대도 줄어듭니다. 이런 태도를 통해 내 마음은 점점 더 유연해지고 편해집니다.

16.EFT(감정 자유 기법) 하는 법

EFT는 'Emotional Freedom Technique'의 약자로 '감정 자유 기법'이라고 합니다. 경혈이란 경락(經絡)의 기혈(氣血)이 신체 표면에 모여 통과하는 부위를 말하는데, EFT에서는 몸의 경혈을 두드려 침을 놓는 효과를 유도하고, 이것이 내면의 고착된 감정과 신념을 해소합니다. 경혈 부위를 두드리면서 확언이라는 문장을 지어 말하는데 이는 현재 자신의 문제점을 있는 그대로 수용하는 성격을 지닙니다.

유튜브에 'EFT 하는 법'이라고 검색하면 영상으로 볼 수 있으니 참고하시길 바랍니다.

EFT를 하는 순서는 다음과 같습니다.

첫 번째로, 본인이 문제라고 보는 현 상황에 대한 고통지수를 0에서 10점 사이의 값으로 측정합니다. 0이 아무 고통도 느껴지지 않은 편안한 상태라면, 10은 못 견딜 정도의 극심한 고통 상태입니다.

두 번째로, 손날을 반대쪽 손의 엄지를 제외한 손가락 4개 또는 그냥 검지와 중지로 각각 5~7번 두드리며 수용확언을 말합니다. 손날을 번갈아가며 총 세 번 확언과 두드림을 해줍니다. 수용확언은 '비록 나는 ~하지만, 이런 나를 깊이 완전히 이해하고 받아들입니다'라는 문장인데, '받아들입니다'라는 단어가 불편할 때는 좀 더 받아들이기 쉬운 단어인 '인정합니다', '이해합니다', '받아들이기를 선택합니다'라는 단어로 바꾸어도 됩니다.

'~'에 들어가는 내용에는 해당 상황에서 느껴지는 부정적인 생각이나 감정을 포함해야하고 되도록 구체적일수록 좋습니다. 예를 들어, '비록 오른쪽 무릎이 일하고 나서 걸을 때(고통지수) 7만큼 아파 괴롭고 앞으로 평생 낫지 않을 것 같아 두렵지만, 이런 나를 깊이 완전히 받아들입니다'라고 말하면 됩니다. 이 수용확언을 손날을 두드리며 말하는 것입니다. 그래서 왼쪽 오른쪽 번갈아 가면서 총 3번, 수용확언과 두드림을 하면 됩니다. 이 수용확언을 할 때는 정말 진심으로 받아들이는 마음으로 하셔야 효과가 좋습니다. 속으로는 받아들이고 싶지 않은데, 받아들인다고 말로만 하는 것은 좋지 않습니다. 이럴 땐, '나는 아직 ~한 상황을 받아들이고 싶지 않지만, 어쨌든 이런 나를 깊이 완전히 받아들이기를 선택합니다.'라고 해줍니다.

세 번째로, 몸의 타점들을 7번씩 두드리면서 연상어구를 말합니다. 연상어구를 만들어보면 '오른쪽 무릎이 (고통지수) 일하고 나서 걸을 때, 7만큼 아파 괴롭고 앞으로 평생 낫지 않을 것 같아 두려워'라고 할 수 있습니다. 연상어구를 말하면서 몸의 타점들을 두드리는 것입니다.

몸의 타점들은 총 여덟 군데며, 목 위 여섯 군데, 목 아래 세 군데, 손 7군데 입니다. 정수리, 미간, 눈 옆, 눈 밑, 인중, 입술 밑(목 위 6곳), 쇄골, 겨드랑이 아래, 가슴 아래와 명치 옆이 교차하는 곳(목 아래 3곳), 엄지, 검지, 중지, 소지의 손톱 바깥 쪽, 손날, 손등 약지와 소지가 만나는 곳에서 1cm 안쪽, 손목 안쪽 맥을 짚는 부위(손 7곳) 입니다. 각 부위를 7번씩 중지와 검지로 두드리며 연상어구를 말해주면 됩니다. 이것을 두 번 반복합니다.

총 두 번을 하는데, 이 두 번 사이에 뇌 조율 과정을 넣습니다. 이 뇌 조율 과정은 맨 처음에만 한 번 넣어주고 그 뒤로는 그냥 연상어구 과정을 두 번 연속으로 해주면 됩니다.

네 번째로, 뇌조율 과정은 얼굴을 고정한 채로 눈을 감았다 뜨고, 시선만 왼쪽, 오른쪽 번갈아보고, 왼쪽 아래, 오른쪽 아래를 본 뒤, 시계 방향과 반시계 방향으로 눈알을 돌리고, '생일 축하합니다' 노래 부분을 콧노래로 흥얼 거리고, 숫자를 1,2,3,4,5 이렇게 빠르게 샌 뒤, 다시 '생일 축하합니다' 노래 부분을 콧노래로 흥얼 거립니다. 이것이 뇌조율 과정의 끝이며, 이 과정은 일종의 EMDR의 응용과정으로 뇌에 자극을 주어 부정적인 감정을 해소하는 작용을 하는 과정이라고 이해하시고 넘어가시면 됩니다.

다섯 번째로, 다시 처한 상황에 대한 고통지수 측정해 0이 아니면 두 번째 과정부터 반복하는데 수용확언과 연상어구를 다음과 같이 약간 바꿔줍니다. 효과가 있어 수치가 내려갔는데 양상이 그대로면, '비록 오른쪽 무릎이 '약간' 아프지만, 이런 나를 깊이 받아들입니다'(수용확언), '약간 남아있는 오른쪽 무릎의 통증'(연상어구) 이렇게 바꾸어 다시 1set(수용확언-연상어구 2번)를 두드리시면 됩니다.

두드리는 과정에서 고통의 양상이 변화하면(아까는 일하고 난 뒤 걸으면 아팠는데, 이제는 일하고 난 뒤 앉으면 아픈 경우. 즉, 신체적/감정/생각/기억 등과 관련하여 통증이나 내면의 불편함의 양상이 변한 경우) 그것을 적용해 확언이나 어구에 포함한 뒤

EFT를 해줍니다.

예를 들면, 처음에는 오른쪽 무릎 앞쪽이 10만큼 콕 쑤시는 듯 아팠는데 두드리다 보니 고통 수치는 7로 되었지만, 이제는 무릎 뒤쪽이 저리다면 '무릎 뒤쪽이 7만큼 저리지만' 이렇게 말을 바꿔줍니다. 신체적 증상뿐만 아니라 두드리면서 내 마음속에 떠오르는 생각이나 감정, 기억도 바로바로 반영해 문장을 만들어 줍니다.

예를 들면, '무릎 뒤쪽이 7만큼 저려 앞으로 못 걸을 것 같아 생계를 어떻게 꾸려가야 할까 하는 걱정이 들지만' 이렇게 문장을 만들 수 있습니다. 즉, 증상이나 떠오르는 생각이나 감정이 변화하면 그 즉시 바로바로 문장을 바꿔줍니다.

만약 두드리는데 과거의 어떤 일이 갑자기 생각나면 그때 일을 겪으면서 쌓인 감정이나 신념을 해소해야 한다는 무의식의 신호이므로 그것에 대해 다루는 것이 좋습니다.

전혀 효과가 없으면 다음을 고려해봅니다.

1)구체적으로 수용확언을 했는가? 너무 모호하게 수용확언을 만들면 수치가 감소되지 않습니다.

2)양상의 변화를 민감하게 잡아내어 적용했는가? 내면의 변화를 민감하게 알아차려 EFT를 적용해줘야 합니다.

3)핵심 주제를 파악하지 못한 것은 아닌가? 감정자유기법을 잘 적용하기 위해서는 내면의 핵심 주제를 잘 파악해야 합니다.

핵심 주제를 잘 파악하기 위한 질문 6가지를 적어보겠습니다.

(1)현재 불편함을 생각하면 어떤 생각과 감정이 드나요?

(2)현재 느끼는 불편함을 느낀 비슷한 경우(사건)가 있었나요?

(3)현재 불편함이 시작됐을 당시 어떤 어려운 일이 있었나요?

(4)살면서 힘들었던 일이 뭐가 있었나요?

(5)삶을 다시 산다고 할 때, 삭제하거나 생략하고 싶은 인물이나 사건이 있다면 뭐가 있을까요?

(6)이 문제가 사라지지 않게 방해하는 요인이 있다면 무엇일까요?, 문제가 사라져서 혹시 안 좋은 점이 있다면 무엇일까요? 문제가 있어서 좋은 점은 무엇일까요? 이 질문은 심리적 역전을 찾아내기 위한 질문으로, 사실 내담자가 속 깊이 은밀하게 현재 문제가 해결되지 바라지 않는 마음을 가지고 있는 것은 아닌지 찾기 위한 질문입니다. 심리적 역전이 있으면 문제가 해결되지 어렵습니다.

좀 더 설명하자면, 이 상황이 진짜 나아지기를 바라는지 스스로 물어볼 필요가 있습니다. 만약 아니라면 다음과 같이 EFT를 합니다. 예를 들면, '비록 이 무릎이 나으면 다시 학교에 가서 재미없는 공부를 해야 해서 사실 낫지 않길 원하고 있지만, 이런 나를 깊게 완전히 받아들입니다'라고 하면 됩니다. 이런 것을 심리적 역전이라고 하며 이런 것들이 먼저 해소되어야 EFT의 효과가 잘 나타날 수 있습니다.

또, 효과가 없을 땐 EFT에 대한 불신이 있나 살펴보고 있다면, 이에 대해 EFT를 먼저 합니다. 예를 들면, '비록 이 기법이 내 무릎 통증 완화에 도움이 될 것이라 믿지 않지만, 이런 나를 깊게 완전히 받아들입니다'라고 하면 됩니다.

여섯 번째로, 고통지수가 0이 되면 그만둡니다.

위에서 말씀드린 EFT 감정자유기법에 대해서는 유튜브에서 더 찾아보시길 바라며, '한 권으로 끝내는 EFT 감정자유기법' 도서를 권장드립니다. 이 책을 사서 진지하고 성실하게 스스로에게 적용하신다면, 사실 심리상담사가 필요없으실 수도 있습니다.

번호	명칭	설명
①	정수리	정수리와 정수리 부근
②	미간	양 눈썹이 시작하는 안쪽 끝
③	눈가	눈가의 바깥쪽
④	눈 밑	눈 아래 2.5cm 부근
⑤	인중	코와 입술 사이
⑥	입술 아래	아랫입술과 턱 사이
⑦	쇄골 밑	동그란 쇄골 뼈 아래
⑧	겨드랑이 아래	유두에서 옆으로 가는 선과 겨드랑이에서 아래로 가는 선이 만나는 지점
⑨	명치 옆	갈비뼈 제일 아래 부근, 유두 아래 2.5cm 부근
⑩	엄지	엄지손톱의 뿌리에서 몸 쪽 부위
⑪	검지	검지손톱의 뿌리에서 엄지 쪽 부위
⑫	중지	중지손톱의 뿌리에서 엄지 쪽 부위
⑬	약지	약지손톱의 뿌리에서 엄지 쪽 부위
⑭	소지	소지손톱의 뿌리에서 엄지 쪽 부위
⑮	손날	태권도에서 송판을 격파할 때 쓰는 부위
⑯	손등	약지와 소지가 만나는 부위에서 1cm 안쪽으로 들어간 부분
⑰	손목안쪽	한의원에서 맥을 짚는 부위
⑱	가슴 압통점	유두 위 가슴 부분인데, 만지면 아픈 부위

17.경쟁에서 좌절하는 마음에 대한 해독제

'한국인은 고집이 세고 욕심 많고 성미가 급하다'라는 얘기가 있습니다. 생각해보니 딱 제 얘기입니다. 부끄럽기도 하고 약간 우습기도 합니다. 한국에서 태어나고 자라서 이런 카르마를 물려받은 것인가 아니면 내가 이런 카르마를 원래 가지고 있어서 한국이란 나라에 태어난 것인가 하는 궁금증이 들기도 합니다. 아무튼 이런 성격이 바탕이 되어서 그런지 경쟁심도 있습니다. 남들보다 잘나고 싶고, 뒤처지지 않고 싶고, 제가 원하는 것은 빨리빨리 이루어졌으면 좋겠고, 제가 뜻한 것이 이루어지지 않으면 심란해지기도 합니다.

제가 과거에 보였던 공통적인 패턴을 보면, 제가 목표로 한 것을 달성하기 위해 열심히 무엇인가를 하고 있는데 뭔가 중간에 제 뜻대로 잘되지 않거나, 안될 것 같아 보이거나, 저보다 더 잘난 사람을 보게 되면 뭔가 의욕이 꺾이면서 내가 열등한 것 같고 난 안될 것 같은 생각이 듭니다. '난 언제 저 사람처럼 잘나게 되나' 또는 '난 저렇게 안 될 거야'라는 생각이 올라오고 우울하고 무기력한 기분이 들기도 합니다. 그러면서 열심히 해나가던 일에도 심드렁해지고 포기하고 싶고 다른 일을 알아봐야 할 것 같다가 결국 중간에 그만둡니다. 이게 제가 과거에 보였던 사고와 행동 패턴이었습니다.

지금 생각해보면 이런 태도는 빠른 시일내에 뭔가 이루고 싶은 욕심 많고, 부정적이고 자존감이 부족하고 너무 자기 영달에만 몰두한 것이었습니다. 제가 이런 태도에서 빠져나오고 나서 깨달은 것은, 자기 중심성을 포기하고 이타성을 회복하는 것이 앞에서 말한 부정적인 마음가짐을 다시 긍정적이고 건설적으로 변화시키고, 무기력과 우울증에서 빠져나오는 데 효과적이라는 것입니다.

20대 후반에 일이 너무 안 풀려서 하나님이든 부처님이든 더 높은 존재에게 기도했습니다. "다 내려놓겠습니다. 그저 제가 실력을 쌓아서 타인을 조금이나마 도울 수 있게 해주십시오. 이 사회에서 쓸모있는 존재가 되어 잘 쓰이게 해주십시오." 이렇게 기도하며 마음을 바꿔 먹으니 앞에서 나타난 무기력증, 우울증, 조급한 마음, 포기하고 싶은 마음, 남보다 잘나고 싶은 마음, 남보다 못나 보여서 좌절하는 마음 등이 사라지고 그저 삶에 대해 감사함과 겸손함, 욕심을 내려놓는 마음, 의욕이 생기기 시작하면서 일들이 술술 풀려나가기 시작했습니다. 이렇게 자기 중심성을 내려놓고 타인을 위해 쓰이고자 하는 이타적인 마음이 많은 부정적인 태도에 대한 강력한 해결책이 될 수 있습니다.

18.적성을 고려한 진로 그리고 세상을 향한 봉사

많은 사람들이 자신의 진로와 관련해 적성을 찾아 마음이 분주합니다. 저 역시 그랬습니다. 그래서 저는 여러 직종을 거치며 제가 끌리는 일을 찾아 체험해 봤습니다. 그러면서 어떤 특성의 일이 제게 맞는지 또는 맞지 않는지 조금씩 알아 갔습니다. 이런 의미에서 자신의 적성을 찾기 위해 시도하는 것은 좋은 일입니다.

만약 당신이 적성에 맞는 일을 찾았다면 다행입니다. 그러나 당신이 적성을 찾지 못해 괴로워하고 있다면 이렇게 생각해보시기 바랍니다. '나는 지금 내가 하는 일 그저 먹고사는 방편으로 한다'는 태도를 버리고 '내가 지금 하는 일로써 세상에 도움이 되었으면 좋겠다', '이 일로써 사람들이 삶을 잘 살아갈 수 있도록 도움을 주겠다'는 태도를 가져보십시오.

자기중심적인 욕심을 좀 내려놓고 타인을 위한 봉사의 도구로서 자신의 직업을 바라본다면, '적성에 맞니 안 맞니' 하는 고민은 사라지고 보람과 만족 그리고 감사함을 느낄 수 있을 것입니다.

19.오직 나만이 내 행복을 책임질 수 있다

다른 사람이 내 행복을 책임져 줄 수 있다고 믿나요? 여기서 말하는 다른 사람에는 부모, 형제, 배우자, 자식, 친구, 연인, 동료, 스승 등 여러 인간관계가 포함됩니다. 만약 그렇게 믿고 타인에게 당신의 행복을 기대한다면, 당신은 곧 실망하게 될 **확률이 높습니다.** 다른 사람이 나를 행복하게 해줄 수 있다는 것은 일종의 기대이자 내가 바라는 바입니다. 그런데 상대방이 언제나 내가 원하는 대로 행동해 주는가요? 상대방도 한 인격체로서 자신이 원하는 것이 있고, 그것은 때때로 내가 원하는 바와 상충합니다. 따라서 타인이 내 기대에 때때로 어긋나리라는 것은 불 보듯 뻔한 것이고 그에 따른 실망은 예견되어있는 것입니다. 또한 외부조건에 의지하는, 타인에게 의지하는 행복은 나의 깊은 내면에 이것이 지속 불가능하다는 불안감을 초래합니다.

하지만, 이와 반대로 '행복이 오로지 내가 마음먹기에 달렸다' 또는 '내 내면에 달렸다'라고 믿는다면 앞에서 말한 불안감을 초월하여 무엇인가 편안한 안전감을 느낄 수 있게 됩니다. 예를 들면, 내가 다른 사람에게 일일이 돈을 타서 쓰는 것과 내 통장에 돈이 두둑이 들어서 내가 원하면 언제든지 꺼내 쓸 수 있는 것에 비유할 수 있습니다. 어떤 상황에서 마음이 더 편할까요?

무엇인가 욕망하고 그것이 이루어짐으로써 행복을 찾으려는 것에는 한계가 있습니다. 내가 원하는 것을 얻는 것은 내 욕망이 채워지는 것인데, 이런 마음의 바탕에는 채워도 채워도 끝이 없는 욕망의 에너지가 있기 때문에 내가 원하는 것을 얻는다고 해도 끊임없이 그다음엔 무엇을 원할까를 찾으며 목말라 합니다.

주식을 예를 들면, 주식에서 돈을 따도 더 딸 수 있었다며 아쉬워하고, 딴 금액에 대해 무감각해지고 더 많은 돈을 원하게 되며, 돈을 잃었을 땐 잃은 대로 또 괴로워합니다. 한 마디로 어떤 상황에서도 만족을 모르게 되는 것입니다. 그러므로 내 마음 밖의 무엇인가가 나를 행복하게 해줄 수 있다고 믿는 것 즉, 무언가를 더 얻거나 이룸으로써 행복해질 수 있다고 믿는 것은 미봉책에 불과하며 행복을 위한 현명한 길이 아닙니다.

잠시 옆길로 새서 진정한 행복에 대해 말씀드려보겠습니다. 행복이라는 것, 마음의 편안함이라는 것이 우리의 마음을 따라가는 것이 아니라 즉, 우리가 원하는 대로 하는 것이 아니라 마음을 초월함으로써 발견할 수 있다는 것을 아는 것이 굉장히 중요합니다.

위에서 말한 모든 것들 즉, 행복이 외부가 아닌 내면에 달려있다고 말한 것의 근본 원인은 바로 모든 것이 변하기 때문입니다. 변하는 것에 행복은 없습니다. 우리는 항상하지 않는 것에 만족하고 그것이 주는 잠깐의 쾌락에 집착하기 때문에 그것이 변하면 괴로워집니다. 진정한 행복을 위해서는 변하지 않는 것을 찾아야 합니다.

보통 현명한 사람들은 지금 내가 가진 소유물이나 주변 인간관계에 만족하는 자족의 삶을 살라고 하지만, 사실 이것을 뛰어넘는 훨씬 심오한 진리 그리고 행복의 원천이 있습니다. 그것은 바로 우리의 참나, 불성입니다.

다시 한 번 강조해서 말씀드리자면, 변하는 것에는 진짜 행복이 없습니다. 변하지 않는 것을 찾아 거기에 안주해야 합니다. 이것이 무엇인지는 더 뒤에 나올 깨달음에 대해서 말씀드릴 때 상세하게 말씀드리겠습니다.

아무튼 다시 본래의 일반적인 마음공부 얘기로 돌아오면, 생존이 곤란할 정도로 의식주가 모자라지 않는 이상, 우리는 지금, 이 순간 현재 이미 가지고 있는 것 자체만으로도 얼마든지 삶에 감사하고 행복해질 수 있습니다. 내가 지금 행복하지 말지는 본인의 선택에 달려있습니다. 환경 탓을 하는 한 그렇게 탓하는게 아무리 옳아 보여도 그것은 나의 행복에 도움이 되지 않습니다.

20.인간관계, 얻기보다는 주려고 만나야

　인간관계에서 지나친 기대는 관계를 망치는 지름길입니다. 상대가 항상 나의 기대에 맞춰 행동할 수 없기에 상대가 내 기대에 어긋나면 실망하게 되기 때문입니다.

　본인이 원하는 바를 상대가 충족시켜주기를 바라면서 상대를 만나기보다는, 자신이 내적으로 이미 충만한 상태에서, 행복과 평온함을 나누려고 상대를 만나는 것이 더 좋습니다. 왜냐하면 상대에게 무엇인가(정신적, 물질적 만족 등)를 얻으려는 기대는 내려놓고, 오히려 상대에게 무엇인가 베풀려고 하는 마음을 낼수록 내적인 평온에 도움이 되기 때문입니다. 실제로 상대에게 원하는 것이 적을수록 관계에서 더 자유로워집니다. 잠시 딴 얘기를 하자면, 부자는 많이 가진 사람이 아니라 원하는 것이 적은 사람입니다.

　적지 않은 사람들이 내 외로움을 채우거나 다른 욕망을 만족시키기 위해 연애나 결혼을 합니다. 그곳에는 필연적으로 기대가 있고 그 기대의 실망과 좌절이 있습니다. 그래서 연애나 결혼의 과정에서 삐걱거림이 있습니다. 이 삐걱거림을 줄여주는 방법은 가급적 상대에게 걸고 있는 기대를 최소화하고 자신이 상대에게 많이 베풀려는 마음을 내는 것입니다.

21.마음은 만족을 모른다

　마음의 특징 중 하나는 만족을 모르고 항상 '지금보다 더 많이,

더 높이'를 찾는다는 것입니다. 이를 깨달아 욕망을 내려놓고 적당함, 지금 있는 것에 만족하는 법을 배워야 합니다.

'지금 내가 원하는 이것만 이루어지면 난 이제 행복할 거야'와 같은 생각은 이제 포기하시는 게 좋습니다. 그것이 이루어지면 이제 그 다음 욕망의 대상을 찾아 현재에 불만족하며 살게 될 것이니까요.

우리의 목표는 항상 '지금, 여기, 그리고 나에게 집중하는 삶'이 되어야 합니다. 다시 말해, 타인에게 신경쓰지 말고 내 마음이 지금 이곳에서 어떤지 신경을 써야한다는 말입니다.

22.권리는 찾되 미워하지 마라

당신은 옳은 것이 좋은가요, 행복한 것이 좋은가요? 이 질문은 세상을 살면서 부딪히게 되는 여러 상황 속에서 마음의 평안을 찾기 위한 좋은 질문입니다. '세상의 상식으로 보자면 A라는 선택을 해야 합리적이라고 하지만, 내면의 평화를 위해서는 때로는 B라는 선택을 하는 것이 좋다'라는 의미를 담고 있는 질문이기도 합니다.

자신이 옳다고 내세우고 그것을 즐기는 것은 전형적인 에고의 속성으로 일반적인 우리의 특징입니다. 행복하다는 것은 상황에 상관없이 '그럼에도 불구하고' 행복하다는 의미가 담겨있습니다. 예를 들어, 내가 A라는 반응을 받을 권리가 있고 또 그렇게 기대했는데, B라는 반응을 받았습니다. 그러면 나는 A라는 반응을 받지 못한 것에 대해서 불만을 토로하고 따지고 바로잡기 위해 나설 수 있습니다. 반면에, A라는 반응을 받지 못한 것에 대한 울분을 내려놓고 평화롭게 B를 기꺼이 받아들일 수도 있습니다. 내 기대에 어긋났을 때 나는 화를 낼 수도 있고, 인생이란 원래 내가 원하고 예측하는 대로 되지는 않는 것이라며 담담히 받아들일 수도 있습니다.

나에게 주어진 권리를 찾으려 할 때도 마찬가지입니다. 많은 사람들이 자신의 권리를 찾기 위해 상대방과 싸웁니다. 이럴 때, 자신의 평온을 유지하기 위해 상대방을 미워하지는 마셨으면 좋겠습니다. 죄는 미워하되 사람은 미워하지 말라는 말처럼 말입니다. 상대방의 의식수준으로는 지금 이렇게 밖에는 할 수 없다는 것을 이해하고 받아들이는 것입니다.

상대방에 대한 미움을 내려놓는 방법은 첫 번째, 상대방에 대한 미움의 감정에 탐착하기보다 있는 그대로 느끼며 인정하고 놓아버리거나 공경하는 분(예수님, 부처님 등)께 바칩니다. 두 번째, 상대방 입장에서는 그럴 수도 있겠다며 최대한 상대방 입장을 이해하고 존중합니다. 상대방을 이해하면 상대방이 밉지 않습니다. 하지만, 동시에 나는 내 권리를 찾을 자유가 있으니 정당하게 그것을 주장할 수 있습니다. 세 번째, 원하는 대로 이루어져야 한다는 나의 기대, 고집을 끊임없이 바칩니다. 그래서 내가 원하는 대로 되어도 좋고 안되어도 난 행복할 수 있다라는 태도가 내면에 자리 잡게 노력하시기 바랍니다.

내 권리를 찾기 위해 상대방과 충돌이 예상될 때도 평화로운 마음으로 그렇게 할 수 있습니다. 평화로운 마음으로 할 때 상대도 그것을 알아차리고 더 좋은 방향으로 일이 잘 풀릴 확률이 높습니다.

23.세상을 향한 봉사

당신의 행위가 세상을 향한 봉사가 되게 하십시오. 특히 일과 관련돼서 출근할 때, 일할 때, 승진할 때, 중요한 결정을 할 때 등 모든 때에 '어떻게 하는 것이 세상을 이롭게 하는 것일까'라는 가치를 우선으로 하면서 그것을 하십시오.

내가 이 사회의 한 구성원으로서, 지금 내가 맡은 역할로서 이 사회의 번영에 이바지하려고 하는 의도는 일하기 싫은 마음, 경쟁해서 우위에 서려는 마음 등을 소멸시킴에 따라 편안한 마음, 자발성 그리고 적극성을 가져다줍니다.

파타고니아의 종이가방에는 다음과 같은 글귀가 적혀 있습니다. '우리는 최고의 제품을 만들되 불필요한 환경 피해를 유발하지 않으며, 환경 위기에 대한 공감대를 형성하고 해결 방안을 실행하기 위해 사업을 이용한다. 저는 개인적으로 이런 파타고니아의 자세가 사업하는 사람들의 기본자세가 되었으면 합니다. 돈을 벌려는 것 자체가 아니라 사회에 이익을 가져다주는 것을 사업의 주 목표로 삼으십시오.

흔히들 기업의 목적은 이윤추구라고 하는데, 어느 정도 공감은 합니다. 기업도 일단 생존해야 무언가 시도를 할 수 있으니까요.

하지만 제가 말하고 싶은 것은 돈을 벌더라도 그 목적을 사회에 선한 영향력을 끼치기 위해 돈을 벌었으면 좋겠다는 것입니다.

예를 들어, 겨울에 동네에서 붕어빵을 만들어 팔더라도 돈을 벌기 위한 마음보다는, 맛있는 빵을 구워 사람들의 배를 불리고 그들의 삶에 행복을 가져다주는 데 이바지하고 싶다는 마음으로 빵을 굽는 것입니다. 이런 마음을 가지면 '사람들을 위해 어떻게 하면 더 맛있는 빵을 만들 수 있을까' 하는 창조력이 힘들이지 않고 자연스럽게 생김으로써 내면의 탁월함이 붕어빵을 통해 발현될 수 있습니다.

또한, 이런 마음을 가진 상태에선 옆에 경쟁 업체가 생겨도 개의치 않고 오히려 '그들이 생김으로써 더 많은 사람들이 맛있는 붕어빵을 먹을 수 있는 기회가 생기겠다'라는 너그럽고 자비로운 마음으로 이어질 수 있어서 스트레스를 받지 않을 수 있습니다.

또 이런 평화로운 마음을 가지면 사람들은 무의식적으로 그 사람 곁에서 머물려고 하는 경우가 있기 때문에 단골이 생기고 손님이 더 늘어날 수 있죠. 또한, '세상을 위해 기여하겠다'라는 적극적이고 자발적인 마음으로 인해 억지로 일할 때 받는 스트레스가 사라집니다.

24.내 욕심때문에 괴롭다

실생활에서 마주치는 여러 고민의 경우, 대부분 우리의 욕심이 그 원인인 경우가 많습니다. 모순되는 두 가지를 가지려 할 때,

그것을 욕심이라 합니다. 예를 들어, 시험은 100점 받고 싶은데 공부는 하기 싫다고 한다면 이것을 욕심이라고 합니다. 시험을 100점 맞고 싶다는 희망 자체는 괜찮습니다. 다만, 그것을 위해 합당한 노력을 할 때만 그것은 원이 될 수 있습니다. 그것을 위한 합당한 노력을 하지 않으면 그것은 욕심이 됩니다.

저 같은 경우에도 수능을 준비할 당시 슬럼프가 왔을 때, 머리로는 '아, 좋은 대학교 가고 싶다'라고 바랬지만, 마음으로는 '아, 공부하기 너무 싫다' 이렇게 느껴서 이 둘 사이의 괴리로 인해 매우 괴로웠습니다. 모순되는 두 가지를 가지려고 욕심을 부리니 괴로웠던 것이죠. 지금의 저라면 만약 공부가 도저히 하기 싫으면 좋은 대학이라는 목표를 포기하고 공부를 설렁설렁했을 것 같습니다.

'공부를 해야 한다'고 괴로워하면서 마음 편히 놀지도 못하는 것이 하수의 태도라면, 공부하기 싫어서 공부를 포기하고 아예 즐겁게 게임을 하는 것은 중수의 태도입니다. 중수는 욕심을 포기하고 괴로워하지 않으면서 기꺼이 그 과보를 받겠다는 즉, '공부를 안 하고 낮은 성적을 받겠다'라는 태도를 보입니다.

상수(고수)는 공부하기 싫은 마음 있는 그대로 느끼고 바치면서 목표를 위해 그저 공부하는 태도를 보입니다. 고수는 공부하기 싫은 마음에 끌려가 마냥 놀지도 않고 그렇다고 해서 공부를 억지로 하는 것도 아닙니다. 공부하기 싫은 마음을 알아차림으로써 그것을 다루는 동시에 목표를 위해 괴로움 없이 공부해나가는 것입니다.

우리가 여러 가지 선택지 중에 고민한다는 것 자체가 이미 그 여러 가지 선택지들이 장단점을 가지고 있다는 것을 의미합니다. 어느 것 하나가 월등히 이점을 가지고 있다면 고민이란 것을 하지 않습니다. 이런 원리를 알아 여러 선택지 중에 고민하고 있다면, 각각의 선택지에서 얻을 수 있는 이점들을 다 얻겠다는 욕심을 내려놓고 어느 하나를 얻으면 어느 하나를 얻지 못한다는 사실을 받아들이십시오. 그러면 괴롭지 않을 것입니다.

25.남의 마음에 대한 독재

타인과의 관계를 매끄럽게 하고 내 마음의 평온을 지키기 위해서는 인간관계에서 다음의 말을 기억하는 것이 좋습니다. '이렇게 하는 것은 내 마음이고, 저렇게 하는 것은 네 마음이다'. 이 말은 자기 자신의 자율성은 회복하면서, 타인에 대한 존중의 마음을 기억하라는 문구입니다.

예를 들어, 지인에게 괜찮은 유튜브 영상을 추천해줬다고 합시다. 내가 보기에 그 영상은 매우 유익해서 지인도 보면 좋을 것 같아 추천해준 것입니다. 그런데, 지인이 보기에는 썩 보고 싶은 마음이 들지 않을 수 있습니다. 적지 않은 사람들이 이런 경우에, 추천해주는 입장에서는 '아, 왜 이렇게 저 사람 반응이 시큰둥 한 거야, 추천해준 영상을 보긴 봤나? 왜 빨리 안 보는 거야? 보고 나서 피드백을 줘야지 섭섭하네'라고 생각하는 경향이 있고, 추천받는 사람 입장에 서는 '아, 별 관심도 없는 걸 추천해주고 난리야'라고 생각하는 경향이 있습니다. 이런 것이 반복되면 추천해주는 사람 입장에서는 서운함이, 추천받는 입장에서는 귀찮음이 발생합니다.

추천해주는 사람 입장에 서게 된다면 이런 마음을 가지는 게 좋습니다. '난 이 영상이 유익하다고 생각해서 추천해주는데, 이 영상이 유익하다고 생각하는 것은 어디까지나 내 생각이니 추천받는 사람이 어떻게 생각할지는 나도 잘 모른다. 하지만, 나에게는 추천할 수 있는 자유가 있으니까 추천해봐야겠다. 만약, 상대가 싫어하는 반응을 보이거나 그러면 그것을 존중해서 보내지 말아야겠다.' 이렇게 마음을 먹고 상대가 반응을 어떻게 보여도 그런 그를 있는 그대로 존중합니다. 이렇게 하면 섭섭함이나 아쉬움이 생기지 않습니다.

추천받는 입장에서도 '아, 이 사람은 이게 좋아 보여서 나에게 추천해준 것이구나. 그 마음이 참으로 고맙다. 하지만, 이것을 보고 안 보고는 나의 자유이고 나는 이것에 관심이 별로 없으니 보진 않아야지.' 이렇게 생각하고 그 사람에게 추천해 준 것에 대해 감사함과 관심이 없다는 솔직한 마음을 전달할 수 있습니다. 만약 관심이 없다는 것을 전달하기가 부담스럽다면, 추천해준 것에 대해 감사함만 전달할 수 있습니다.

유튜브 영상을 추천한 상황을 예로 들었지만, 인간관계에서 벌어지는 많은 상황에서 이런 원리는 적용될 수 있습니다. 한 남자가 한 여자를 짝사랑하면, 남자가 여자를 좋아하는 것은 남자의 자유, 여자가 남자를 마음에 들어 하지 않는 것은 여자의 자유입니다. 남자가 여자의 자유를 존중해준다면 여자가 부담스러워하지 않는 선에서 자신의 호감을 표현할 수 있습니다. 하지만, 남자가 여자의 마음에 독재하려는 마음을 품는다면, '나는 널 좋아하는데, 왜 너는 날 좋아하지 않느냐!'라며 분노할 것입니다.

이렇게 남의 마음에 독재하려는 태도, 남의 마음을 좌지우지하려는 태도를 가질수록 인간관계에서 다툼이 많이 생기고 삶이 내 뜻대로 되지 않는다고 느껴 괴로워집니다. 그러니 관계에 있어 타인의 뜻을 존중하고, 자신의 자율성은 살리는 쪽으로 가는 것이 평화로 가는 길입니다. 타인의 입장을 일방적으로 무시해서도 안 되고 타인에게 맞춘다고 자신이 일방적으로 참아도 안 됩니다.

26.3배를 벌어주는 마음

직장에서 일을 하는 데 있어, 대충 시간이나 때우면서 월급을 타려는 소극적인 마음으로 임하지 마시기를 바랍니다. '받는 월급의 3배를 벌어다 주겠다'라는 적극적인 마음을 냄으로써, 일하기 싫어 억지로 회사 다니는 마음, 월급만 축내는 노예로 사는 마음 등을 해탈시키십시오. 이것은 어떤 일에 임하는 적극적인 마음가짐을 말하는 것으로, 성경에서 말하는 '오른쪽 뺨을 때리면 왼쪽 뺨도 내어주라'라는 정신과도 비슷합니다.

직장 생활을 할 때는 항상 '이 일을 통해 사회에 선한 기여를 하겠다'라는 의도와 회사에서 받는 이익에 3배 이상을 회사에 벌어주겠다는 적극적인 마음가짐으로 일하시기 바랍니다. 그러면 내가 회사의 노예가 아닌 주인이 되고 인생의 1/3을 보내는 회사에서 자긍심을 가지고 지낼 수 있습니다.

27.덕 보고 싶은 마음

결혼할 때는 내가 상대에게서 덕을 보고 싶은 마음이 있다는 것을 인정하십시오. 그러면 상대도 나와 같이 상대에게 덕을 보고 싶은 마음이 있다는 것을 인정할 수 있습니다.

상대에게 덕을 보려고 결혼했는데 결혼하고 보니 내 기대에 미치지 못하면 원망이 올라오게 됩니다. 결혼을 괜히 했나 싶은 생각도 들 수 있습니다. 이것은 상대 때문에 생긴 것이 아니라 상대에 대한 내 기대 때문에 생기는 현상입니다. 내가 애초에 상대에게 덕을 보려고 하지 않고 '어떻게 하면 상대에게 도움을 줄 수 있을까'라는 마음가짐으로 결혼한다면 실망과 원망은 생기지 않고 평화로운 마음으로 결혼 생활을 할 수 있습니다.

결혼할 때는 내가 눈을 위로 쳐다보는 만큼 즉, 나보다 나은 조건의 상대를 찾는 만큼 상대도 자신의 조건보다 더 좋은 조건을 가진 배우자를 만나기를 바란다는 것을 알아야 합니다. 그래서 내가 눈을 조금 낮추면 나와 인연이 되는 사람을 비교적 쉽게 만날 수 있습니다. 또 그런 사람을 만났을 때 내가 기가 죽지 않고 당당하게 만날 수 있습니다. 만약, 나보다 월등히 조건이 좋은 사람을 만났다면, 물질적으로든 다른 조건으로든 편안할 수 있겠지만, 평생 그 사람에게 을로 살아야 한다는 점을 잊지 마시기를 바랍니다. 왜냐하면, 그 사람이 득실을 따지지 않는 성인일 경우는 매우 드물기 때문입니다. 그러니 이 사실을 알고 을로 살고 싶은지, 갑으로 살고 싶은지 결정하십시오.

또한, 결혼하기 전에 상대가 너무 잘해줘서 결혼한 사람은, 결혼 후에는 잘해준 그 사람에게 잘해줘야 할 생각을 해야 합니다. 왜냐하면 보통 사람은 본전 심리가 있어서, 결혼 전과 결혼 후가 달라질 때 내가 오히려 상대에게 잘해야 화목한 관계가 유지되기 때문입니다. 예를 들어 결혼 전에 열렬히 여자에게 구애한 남자는 결혼 후에 여자에게 '내가 너랑 결혼하려고 이제까지 얼마나 노력했는데!'라며 보상받으려는 심리가 있습니다. 따라서 여자가 남자에게 잘해주지 않으면 관계가 삐걱거릴 가능성이 큽니다. 즉, 여자는 '너 내가 결혼만 해주면 평생 잘해준다며!' 이러고, 남자는 '그건 너랑 결혼하기 위해서 한 얘기고!'라며 싸울 가능성이 큰 것이죠. 따라서 결혼 전에 나에게 너무 잘해주는 사람과 결혼하는 경우, 그 사람이 결혼 후에도 그럴 것이라고 단정 짓고 기대해서는 안 됩니다.

28.친구관계와 거래관계

결혼할 상대에게는 수많은 것을 따지지만, 친구 관계에서 볼 것은 신의 하나라고 볼 수 있습니다. 즉, '이 친구를 내가 믿을 수 있겠느냐'의 문제입니다.

친구와 사귀고 있었는데, 만약 친구가 나에게 손해인 행동을 해서 그 친구와 관계를 끊고 싶다면, 나는 사실 그 친구를 진짜 친구로 생각한 것이 아니라 거래 관계로 생각하고 있었다는 사실을 알고 그 친구를 나무라기 전에 자신을 돌아보는 것이 좋습니다.

친구는 Give & Take의 방식으로 사귀는 것이 아닙니다. 만약 이런 방식으로 사귀고 있다면 그것은 친구 관계가 아닌 거래 관계로 사귀고 있는 것입니다. 비즈니스 관계에서는 손해가 난다면 관계를 끊는 게 자연스러운 것이라고 할 수 있습니다.

제가 드리고 싶은 말은, 말로는 친구를 사귄다고 하면서 친구 관계에서 이것저것 재면서 Give & Take 하지 말라는 것입니다.

거래 관계를 맺는 게 나쁘다고 하는 게 아닙니다. 거래 관계를 맺고 있다면 '내가 지금 거래 관계를 맺고 있구나'하고 알고 관계를 맺으라는 것입니다. 그러면 친구가 나에게 손해인 일을 해도 '친구가 나를 배신했다', '나에게 어쩜 그럴 수 있느냐'며 친구로서 배신감을 느끼며 괴로워할 일도 없습니다.

만약 그 사람이 진짜 내 친구라고 생각한다면, 나의 대표적인 태도는 '그 친구가 무슨 사정이 있겠지' 일 것입니다. 그를 이해하려 하고 내가 좀 손해를 보더라도 그를 위하는 행동을 하십시오. 그의 입장에서 생각하고 그를 위하려는 마음을 낼 때 친구 관계에서 원망이 생기지 않으면서 평화롭게 친구 관계를 지속할 수 있습니다.

29.투자자의 말씀

법륜스님은 자식으로서 20살이 넘으면 부모에게서 독립하라고 하고, 부모도 더는 자식을 부양할 의무가 없다고 말씀하십니다. 이것은 자연의 원리를 바탕으로 하신 말씀인데, 자연을 보면, 새끼가 어릴 땐 부모의 지극한 보살핌을 받지만, 성체가 되면 부모는 자식에게 더는 신경 쓰지 않습니다.

자식으로서 20살이 넘으면 부모님이 지원해주시는 것에 대해서 부모로서 당연히 자식을 지원해주어야 하는 것으로 보지 말고 투자자가 나에게 투자해주는 것이라는 생각과 보은의 마음을 가지는 것이 좋습니다. 밖에서 혼자 사는 것과 비교해서 부모님과 같이 지내면서 얻는 이익을 고려하면 부모님에게 감사한 마음이 들 것입니다.

만약에 부모님이 20살이 넘은 본인에게 지원해주는 것을 당연하게 여긴다면 부모에게 의지하게 되고 더 나아가서는 지원해주지 않는 부모에 대한 원망이 생길 수 있습니다.

자신의 밥벌이를 자신이 할 수 있다는 것에서 오는 안도감과 안정감 그리고 자존감은 매우 큰 편입니다. 이 때문에 저는 학생이라도 하루에 2시간 정도라도 꼭 일해 사회의 구성원으로 사회에 기여하고 용돈은 스스로 마련해 보라고 추천합니다.

정리하자면, 자신의 독립과 마음의 평화를 위해 20살이 넘으면 되도록 독립하는 것이 좋고, 지원을 받더라도 그것을 부모님이 투자자로서 나에게 해주시는 지원이라고 보고 그것에 대해 갚아야 할 빚이라고 생각하며 감사하게 받아야 합니다. 이런 감사의 태도를 가지면 평소에 부모님과의 관계가 부드러워지며 가족도 화목해져 평화로운 마음을 가지는 데 도움이 됩니다. 그리고 하루에 2시간이라도 일을 해 용돈을 스스로 마련하시길 강력 추천드립니다.

30.'알겠습니다' 와 '죄송합니다'

우리는 누군가와 대화할 때 상대방으로부터 내가 하는 말에 대해 군더더기 없이 '네, 알겠습니다'라고 동의의 말을 듣거나 또는 상대방이 잘못했다고 생각될 때는 '네, 죄송합니다'라는 말을 들으면 기분이 좋아지는 경향이 있습니다. 이 방법을 손윗 사람과의 관계를 매끄럽게 하기위해 사용할 수 있습니다.

'네, 알겠습니다'의 의미는 '당신이 무슨 말을 하는지 내가 이해했다' 또는 '당신은 그렇게 생각하시는군요'라는 의미이지 '당신이 말 한대로 내가 하겠다'라는 의미가 아닙니다. 상대방이 말 한대로 하고 말고는 나의 자유의지에 달려있으므로 내가 결정하면 되는 것입니다. 만약에 내가 하기 싫어서 상대가 말한 대로 안 했다고 했을 때, 상대방이 '왜 내가 말한 대로 안 하냐'라며 짜증을 내면 그저 '죄송합니다'라고 말하면 됩니다. 이때 '죄송하다'는 의미는 '당신이 원하는 대로 못 해줘서 유감이다'라는 의미이며 '내가 실제로 무엇을 잘못했다'는 의미가 아닙니다. 죄송하다고 한 후에도 내가 하고 싶지 않으면 안하면 되고, 하고 싶으면 하면 됩니다.

만약 상대가 말한 것을 내가 따르는 여부에 나의 이익이 걸려 있다면, 시킨대로 했을 때 이익과 안했을 때의 이익을 비교해서 내가 선택하면 됩니다. 상대가 시킨대로는 하기싫고 이익은 얻고 싶은, 모순되는 마음, 즉, 욕심 때문에 우리는 괴로워하는 경향이 있습니다. 모든 선택에는 장단점이 있고, 선택에는 책임이 따른다는 것을 알고 기꺼이 선택하고 그 결과를 책임지고 마주하겠다고 결심하면 고민이 되거나 괴롭지 않습니다.

상대가 왜 자신이 시킨대로 하지 않느냐고 핀잔을 줄 때, 핑계를 대지 않고 그저 죄송하다고 하면 상대방은 할 말이 없어집니다. 뒤이어 잔소리도 줄어들 확률이 매우 높습니다. 미안하다고 하는데 무엇을 더 뭐라고 하겠습니까? 상대가 보복심으로 어떤 제재를 가할 수는 있겠지요. 그러면 그것을 기꺼이 받아들이는 마음을 내면 괴롭지 않습니다. 그런데, 보복을 당해보니 견딜 수 없을 만큼 괴롭다. 그러면 상대에게 맞춰주면 됩니다. 우리 내면에서 괴로움이 일어나는 지점은 상대가 보복을 해서가 아니라 우리의 욕심 또는 고민 때문에 그렇습니다. 보복은 당하기 싫고 내가 하고싶은 대로는 하고 싶은 욕심 말입니다. 다시 한 번 말씀드립니다. 상대가 보복을 해서 괴로운 것이 아니라 내가 양립할 수 없는 두 가지를 다 가지려고 해서 괴롭습니다.

모순 된 두가지를 가지려는 태도를 버리고, 상대에게 '네, 알겠습니다', '네, 죄송합니다'의 태도로 대하면 인간관계가 훨씬 단순해집니다. 이런 태도의 밑바탕에는 타인의 의견을 존중하는 마음 즉, 상대가 그렇게 말하는 것은 상대의 자유라는 인식과 내 스스로의 인생에 대해서는 자율성을 가지는 태도가 깔려있습니다. 이 방법은 상대에게 짜증내거나 상대를 미워하지 않고 자신의 인생을 주체적으로 살아가기 위한 아주 좋은 태도가 됩니다. 직접 해 보시기 바랍니다.

31.애정을 가지고 바라보기

자신과 타인을 바라볼 때 애정을 가지고 바라보십시오. 이것이 가능한 이유는 우리는 항상 자신이 처한 의식 수준에서 최선으로 보이는 것을 선택하고 행하기 때문입니다.

좀 더 자세히 설명해보면, 우리가 선택을 내릴 그 당시에는 당신이 지금 바람직하다고 생각하는 그 생각이 떠오르지 않았고, 그 행동을 할 여력이 없었습니다. 즉, 그들이 고민했던 선택지에 당신이 지금 바람직하다고 여기는 생각이나 말, 행동이 포함되어 있을지라도, 그 당시에 그들에게는 그것이 최선으로 보이지 않았거나 그것이 최선이었다는 것을 안다고 해도 그것을 행할 의지력이 충분하지 않았습니다. 이것은 본인의 후회되는 과거를 돌아보면 쉽게 알 수 있는 사실입니다.

따라서, 그때 그 행동이 우리의 최선이었음을 아시고 있는 그대로의 그들을 이해와 연민으로 받아주십시오. 비단 타인 뿐만아니라 과거의 나 자신에게도 이 태도는 적용될 수 있습니다.

그들의 실수는 되도록 눈감아주고 장점을 발견하십시오. 또한,

그들이 험난한 세상을 잘 살아가도록 응원하고 지지해주는 마음을 내십시오. 이런 마음을 가지고 나 자신과 타인을 대할 때 나를 대하는 세상의 태도도 부드러워지는 것을 느낄 수 있을 겁니다. 또한, 내 마음도 사랑으로 차올라 행복해집니다.

좀 더 부연 설명을 해보겠습니다. 우리는 자신이 세상을 인식하는 방식대로 세상도 자신을 인식할 것이라 여기는 경향이 있습니다. 그래서 더욱이 삶을 따뜻하게 바라보아야 합니다.

예를 들어, 남들이 잘 알아주지 않는다고 여기는 일을 하는 것을 망설이는 한 사람이 있습니다. 그는 인정받지도 못하는 일을, 설령 그것이 남들에게 도움이 될지라도, 하기 싫어합니다. 자기에게 도움이 될 것이 없다고 생각하기 때문이죠.

하지만 만약에 이 사람이 살면서 어떤 다른 사람이 한, 사소한 일, 그러니까 남들에게 크게 인정받지 못할 것 같은 일에 감사함을 느끼면 어떻게 될까요? 그러면 이 사람은 '아! 이렇게 사소한 일에 내가 감사함을 느끼듯이, 나도 이렇게 사소해 보이는 일이지만 남들에게 도움이 되는 일을 하면 누군가는 이것에 감사함을 느끼겠구나. 물론 그 사람이 표현은 하지 않고 내가 겉으로는 인정은 못 받을지라도 말이다.'라고 생각할 수 있게 됩니다.

이런 내적인 과정으로 인해, 내가 먼저 삶을 감사함, 이해, 연민 등의 사랑의 마음으로 바라볼 때 삶 또한 나를 그렇게 바라볼 것이라는 지각이 내 마음속에 자리 잡기 시작해 삶이 풍요로워집니다. 그리고 내 삶이 긍정적으로 따뜻하게 바뀌기 시작합니다.

32.지나친 죄책감은 피해야 할 함정

　우리가 무엇인가 잘못했을 때 죄책감을 느끼는 것은 지연스러운 것입니다만 이것이 지나쳐 자신을 자학하는 수준으로 가면 안 됩니다. 무엇인가 잘못했을 때는 그것에 대해 반성하고 다음부터 그러지 않겠다는 다짐이면 충분합니다.

　지나친 죄책감은 우리가 피해야 할 함정입니다. 지나친 죄책감에 빠져서 자신을 학대할 때 내면에서 은밀하게 느껴지는 쾌감 같은 것이 있습니다.

'난 역시 안돼', '난 벌 받아야 해', '난 죽어야 해' 등 이런 '내면의 비판자'라고 불리는 목소리에 탐닉할 때 우리는 건강하지 못한 것입니다. 거기서 얻는 은밀한 쾌락을 포기할 것을 선택해야 합니다. 죄책감, 피해자라는 억울함, '나는 옳다' 등 부정적인 감정들에는 우리가 짜낼 수 있는 은밀한 쾌감이 있습니다. 그런 쾌감에 무의식적으로 몰두하면서 부정적인 태도를 고수하는 것을 의식적으로 포기하십시오.

　지나친 죄책감을 갖는 것은 양심적인 것과는 거리가 멉니다. 지나친 죄책감을 갖는 마음의 밑바닥을 살펴보면 '나는 절대 실수하면 안 되는 사람이고 완벽해야 해'라는 완고함과 좁은 마음이 있습니다. 자신을 얼마든지 실수할 수 있는 한 인간 존재로서 바라보고 그런 사실을 너그럽게 받아들이세요.

33.사회적 기술은 관계의 윤활유

자신이 마음공부를 한다고 해서 그 내용을 타인에게 무차별적으로 적용하지 마십시오. 예를 들어, 모든 괴로움의 원인이 자신의 내면에 있다고 해서, 삶에 대해 괴로워하는 타인에게 '네가 마음을 잘못 먹어서 괴로운 거야'라고 말하지 마십시오. 무의식에 따라 현실이 창조된다고 해서 괴로움을 겪고 있는 친구한테 '이건 사실 네가 원해서 이렇게 된 거야'라고 말하지 마십시오. 또, 길다, 짧다는 마음이 짓는 상이 본래 허상이지만, 어떤 것이 짧다고 보는 상대방의 주관적 인식을 존중해주십시오. 다시 말해, 우리의 지각이 상대적이고 주관적이지만, 그것을 알지못하고 괴로워하는 상대를 존중하고 연민의 마음을 내십시오.

상대에 대한 존중 없이 진리를 남발하는 것은 공감 능력이 부족한 것입니다. 그리고 상대에 대한 존중 없이 진리를 고집한다면 관계가 악화될 확률이 높습니다. 위로가 필요한 상황에서는 위로를, 사과가 필요한 상황에서는 사과를, 감사를 표현해야 할 상황에서는 감사를 표현하십시오. 사회적 상황에서 일반적으로 통용되는 태도를 익히고 그것을 활용해 사람들 사이에서 조화롭게 어울려 살아가십시오.

마음공부의 내용은 자기 자신에게 적용해서 스스로 돌아보고 성장해야지, 타인을 재단하고 가르치려는 것이 그 목적이 아닙니다. 또한 마음공부를 한다고 해서 타인보다 위대한 사람이 되는 것은 아닙니다. '나는 마음공부 하는 사람이니 당신보다 뛰어나다'

라는 마음이 있다면 그 '나'는 도대체 무엇인가라고 스스로에게 물어 탐구하며 그런 영적 에고를 놓아버리십시오. 모든 사람은 각자의 방식으로 의식을 성장시키기 위한 경험을 하고 있습니다. 그러니 이를 존중해주십시오.

만약 당신이 깨달음을 얻었다면, 거기에는 나와 남이 없으므로 위와 같은 내용은 저절로 실천됩니다.

34.역할이 다를 뿐 서로 의지함

한 회사의 대표나 말단직원이나 사회에서 맡은 역할이 다를 뿐 더 귀하고 천함이 없습니다. 역할에 따른 권한의 차이가 있는 것이지, 귀하고 천함은 우리의 마음속에만 있습니다. 내가 만약 일 많이해도 돈 많이 버는게 좋고 권한이 많은걸 선호하면, CEO가 말단 직원보다 좋아보일 것입니다. 자신의 욕망에 따라서 호불호가 나뉘지만, 본래 그 자체로는 좋고 나쁨이 없습니다. 따라서 자신이 말단직원이라고 해서 기죽을 필요도 없고 대표라고 해서 거만할 필요도 없습니다. 서로의 역할을 존중하고 그런 역할을 맡아준 상대에 대해 감사하고 지지하는 마음을 지니십시오.

우리는 모두 서로 의지해 살아갑니다. 한 끼의 밥을 먹기 위해서는 농부, 운반하는 사람, 판매하는 사람, 밥을 짓는 사람 등에게 의지합니다. 대표도 수많은 종업원들의 도움이 없다면 어떻게 회사를 경영할까요? 한 회사는 수많은 사람들에 의지해 굴러갑니다. 즉, 모든 사람이 각자의 위치에서 역할을 하며 서로 의지해 일들이 굴러가는 것입니다. 비단 비즈니스뿐만 아니라 세상 전체가 모두 한 뭉텅이로 통째로 이렇게 으쌰으쌰하며 돌아가는 것입니다. 우리의 몸을 보십시오. 세포 하나하나들이 장기를 이루고, 장기들이 몸을 이뤄서 통째로 같이 굴러갑니다. 이런 사실을 알아 모든 사람들을 존중하는 마음으로 귀하게 여기십시오.

저는 많은 사람을 부를 때 선생님이라고 부릅니다. 나이가 어리든지 많든지, 지위가 높든지 낮든지 상관없습니다. 그들을 존중하는 마음에서 그렇게 부르는 것입니다. 내가 상대를 존중할 때 타인도 나를 존중해 줄 확률이 높습니다. 가는 말이 고와야 오는 말이 곱습니다. 이 말에 공감이 가신다면 앞으로 타인을 부르는 호칭을 '아줌마', '저기요', '아저씨' 대신에 '선생님'으로 바꿔 불러 보시기를 바랍니다.

35.선택의 기준 - 생명 존중

인생을 살면서 여러 선택을 내리게 되는데, '어떤 선택이 여러 생명을 존중하고 위하는 길일까'라는 것을 고려하십시오. 눈앞의 이익보다는 생명을 위하는 쪽으로 선택을 내릴 때, 원한을 피하고 선한 공덕을 쌓게 되며, 당장 눈에 보이는 이득이 없더라도 결국 알게 모르게 자신에게 이익으로 돌아오게 됩니다.

36.미안한 마음을 갖지 마라

   미안한 마음을 갖지 말라는 것은 얼핏 들으면 이상하게 들릴 수 있지만, 이것의 의미는 타인에게 미안함을 느낄만한 일을 하지 말라는 것입니다. 순간의 이익에 눈이 멀어 타인에게 미안한 일을 한다면 결국 자기 업보를 쌓는 것입니다. 즉, 저 사람에게 미안하다는 마음이 무의식에 새겨져, 그 무의식이 다음 생에 발현이 되는 것입니다. 이런 업보는 죽어서도 가지고 가는 것이지만 순간의 이익은 다음 생으로 가져가지 못합니다. 미안함을 느낀 일은 반드시 이번 생에든 다음 생에든 어떤 식으로든 갚게 됩니다. 따라서 다른 사람에게 미안하게 느낄만한 어떤 일도 가급적 하지 마십시오. 차라리 내가 손해를 감수하고 타인에게 이익을 내어 주십쇼. 이렇게 사는 것이 떳떳하고 행복하고 마음이 편안한 인생을 사는 길입니다.

37.사랑과 거래

   우리가 흔히 말하는 사랑은 제가 생각하는 사랑과는 거리가 있습니다. 제가 말하는 사랑의 특징은 무조건적입니다. 무조건적이라야 사랑인 것입니다. 대상에 따라 주고 안 주고가 아닌 마치 햇빛처럼 모든 생명을 동일하게 비추는 그런 것입니다. 사랑은 나의 가슴에서 나와 모두에게 조건 없이 방사되는 것입니다.

   우리가 흔히 말하는 사랑은 다분히 조건적입니다. 상대가 내가 마음에 품은 조건을 갖추면 그를 좋아합니다. 남녀 관계에서 이런 것이 많이 보이고 그나마 조건 없는 사랑과 비슷하다고 하는, 부모가 자식에게 주는 사랑에서조차 조건적인 면을 찾아볼 수 있습니다. '내가 널 얼마나 사랑해줬는데 네가 이럴 수 있느냐!', '내가 너를 어떻게 키웠는데 네가 이럴 수 있느냐!' 라는 말이 조건적 사랑을 해왔다는 것을 나타내 줍니다.

조건 없는 사랑은 불만을 품지 않습니다. 어떠어떠한 조건에도 불구하고 타인을 사랑하는 것이 조건 없는 사랑입니다. 즉, 타인의 조건에 따라 달라지는 것이 아닌 타인의 존재 그 자체를 사랑합니다. 타인과 내가 둘이 아닌 하나임을 알고 겉으로 나타나는 모습은 단지 겉모습일 뿐이라는 것을 알고, 의식 또는 그 너머의 그들의 진실한 모습과 그들 마음의 순진무구한 면을 인식합니다.

저는 조건적인 사랑을 하는 것을 나무라고 싶지 않습니다. 조건적인 사랑을 해도 좋습니다. 다만, 이런 조건적인 사랑은 일종의 거래 즉, Give&Take가 전제된 것이라는 사실을 알고 또한 자신이 사랑이 아닌 거래를 하고 있다는 것을 자각하십시오. 그렇게 하면 이런 자각을 바탕으로 '아, 내가 상대에게 잘해준 것이 사실 다 내 욕망에 따라 상대에게 무언가를 바라고 잘 대해준 것이구나'라는 것을 깨달으십시오. 그러면 '사랑했는데 배신을 당했다'고 억울해하는 등의 마음이 사그라지고, 그저 '내가 상대에게 바란 만큼 받지 못해 내 마음이 심란하구나' 하는 것을 담담하게 받아들일 수 있게 됩니다. 즉, 인간관계 전반에서 원망하는 마음, 분노하는 마음이 사라지게 되어 마음이 굉장히 편하게 바뀝니다. 불교에서 말하는, 우리에게 해로운 대표적인 마음인 탐(욕심), 진(분노), 치(어리석음) 중에서 분노를 다룰 수 있게 되는 것입니다.

내가 상대에게 잘 대해주면 상대방이 나에게 무조건 잘 대해주는가요? 아닙니다. 하지만 상대가 나에게 잘 대해줄 확률이 높아집니다. 내가 잘 대해줬으니 상대가 내게 무조건 잘 대해야 한다는 것은, 내가 머릿속에서 규정지은 비현실적인 기대에 불과합니다. 이런 기대를 꽉 움켜쥐고 있을수록 내 기대에 어긋나는 상황이 발생할 때 더 많이 괴로워지니, 이런 기대는 놓아버리고 다만, 그럴 확률이 높을 뿐이라는 유연한 자세를 가지는 것이 좋습니다.

그리고 조건 없는 사랑, 기대 없는 베풂을 실천할수록 내 마음이 편해집니다. 왜냐하면 내 의식 수준이 사랑의 높은 에너지 레벨로 올라가기 때문이지요. 의식 수준이 높아질수록 삶의 전반에서 행복감을 더 자주 쉽게 경험합니다. 일들도 술술 풀리는 것을 경험하지요.

물론 처음에는 베풀면서 기대가 자연스레 생길 수 있습니다. 하지만, 그럴 때도 '아, 바라는 마음이 올라오는구나' 하고 담담하게 알아차리기만 하고 그 바라는 마음에 끌려 깊게 들어가지 마십시오. 그리고 그 마음을 자신이 존경하는 분에게 바치는 마음을 내거나 그 마음에 '사랑해, 고마워'라고 속으로 말하면서 놓아버리는 마음을 내십시오. 그러면 부정적인 감정이나 생각이 그 에너지를 잃으면서 마음은 다시 편안해 집니다.

38.내 안에 있는 악마

우리 무의식에는 긍정적인 자원만 있는 것이 아니라 온갖 부정적인 자원도 있습니다. 가끔 살면서 악마 같은, 악의적이고 부도덕한 생각이 불쑥불쑥 떠오를 때가 있습니다. 예를 들면, 상대를 잔인하게 죽이거나 때리는 생각, 성적으로 부도덕한 생각 등 사회적으로 금기시되는 생각들이 떠오를 수 있습니다. 이런 요소들은 우리의 무의식 속에 있다가 불쑥 떠오르는 것입니다.

이런 생각이 떠오를 때는, 자신을 탓하거나 죄책감을 가져 떠오르는 생각을 억압하지 마십시오. 그저 이런 생각들이 올라오면 그것을 알아차리고 허용하며 연민의 마음('그런 마음이 들 수도 있지'하는 허용적인 마음)으로 그 생각들을 부처님이나 하느님 또는 내가 믿는 더 높은 힘에 바치십시오. 바칠 때는 속으로 '부처님' 또는 '하느님'이라고 나긋이 되뇌어도 좋고 내 주머니에서 시커먼 공(그 생각)을 꺼내 예수님이나 부처님께 드리는 상상을 해도 좋습니다. 중요한 것은 그 생각에 무의식적으로 탐닉하거나 끌려가지 않는 것이며 또한 죄책감에 빠지지 않는 것입니다.

또한 세상에서 보이는 모든 부정적인 모습이 사실은 우리의 무의식에 있는 것들이 밖으로 나타난 것에 불과하니, 살인, 폭행, 사기, 전쟁, 시기, 질투 등의 모습을 접할 때마다, '내 깊은 내면에 무엇이 있길래, 이런 장면을 경험하는 것일까?'라고 스스로에게 묻고 그 무의식에 있는 내용물을 내면의 신성 또는 부처님 등에게 바치는 마음을 내시기 바랍니다. 부정적인 모습들에 대해 비난하는 마음을 내는 대신 이렇게 해보십시오.

예를 들어 보겠습니다. 아들이 공부는 안하고 게임만해서 그것이 꼴보기 싫고 괴로워하는 한 아이의 어머니가 있습니다. 그 어머니는 아이를 비난하고 고치려고 하는 대신 이렇게 할 수 있습니다. '내 내면에 어떤 것이 있길래, 이렇게 공부도 안하고 게임만하며 말 안듣는 속썩이는 아들을 경험하는 것일까?' 이렇게 속으로 되물으며, 신성이 내면에 있는 그 요소(=어떤 것)를 맡아 해결해주길 원하는 마음을 냅니다. 그런 다음에는 마음에서 끊임없이 올라오는 아들에 대한 분별 판단을 내려놓으려고 노력합니다. 이 노력은 분별 판단에 대해 '사랑해, 고마워'라고 속으로 또는 입밖으로 내면서 말하는 것입니다.

이렇게 내면의 분별에 끌려다니지 않고 그것을 끊임없이 내려놓으면서, 무의식의 정화를 내면의 신성(주인공, 불성, 하느님 등)에 맡기는 자세는 큰 변화를 가져옵니다. 믿고 한 번 꾸준히 해보시기 바랍니다.

39.나는 무엇이 최선인지 알지 못한다

인생을 살면서 우리는 무엇인가에 대해 끊임없이 판단을 내립니다. 내 주위의 환경과 타인에 대해 '어떠어떠해야 하는 게 바람직하다'며 끊임없이 시비분별하고, 자신의 인생에 대해서조차 마찬가지 태도로 바람직해 보이는 목표를 선택하고 그것이 이루어지면 행복해하고 그렇지 않으면 좌절합니다. 하지만 우리의 불완전한 견해로 과연 무엇이 우리의 인생에 최선인지 알까요? 저는 우리는 우리 자신에게 무엇이 최선인지 모른다고 생각합니다.

육체를 가지고 이 삶을 경험하는 영혼으로서(사실 이 견해도 정확하진 않지만 여기서는 독자의 이해를 돕기위해 이렇게 말하겠습니다), 우리는 이번 삶의 목적이 무엇인지 모릅니다. 기껏 잘해야 추측할 수 있을 뿐입니다. 아무튼, 이번 삶의 목적이 이뤄지기 위해 나에게 적합(필요)한 일들이 일어날 것인데, 그것에 대한 운전대는 우리의 잠재의식이 잡고있습니다. 우리는 그저 표면의 의식만 가지고 무엇이 내게 좋은지 판단하고 그것을 원하지만, 궁극적인 인생의 목적에 빗대어 볼 때 그것이 이루어지지 않는 것이 우리 인생의 목적 달성에 도움이 될 수 있습니다.

무의식에서는 초당 수백만 비트의 정보들이 처리되지만, 우리가 의식할 수 있는 정보는 무의식이 처리하는 정보의 15,000분의 1 정도가 된다고 합니다. 즉, 우리의 의식으로 내리는 분별과 판단은 매우 불완전하다는 것이죠. 그러므로 이러한 조건에서 우리가 인생에 대해 취해야 할 기본적인 태도는 다음과 같아야 한다고 믿습니다.

'나는 무엇인 나 자신에게 최선인지 알지 못한다. 그러므로 나의 개인적인 분별, 판단, 바람 등을 그저 더 높은 힘(잠재의식, 영혼, 하느님, 절대자 등)에 끊임없이 내맡기는 삶을 살겠다.'

위와 같은 태도로 삶을 살 때, 저는 인생이 평화로워지고 잘 풀리는 것을 경험했습니다.

40.중생심에 대한 이해와 연민

중생심이라는 것은 일반 사람들이라면 흔히 생각하고 느낄만한 마음을 의미합니다. '사촌이 땅을 사면 배가 아프다', '몸이 멀어지면 마음도 멀어진다', '화장실 들어갈 때와 나올 때의 마음이 다르다', 탐욕, 분노, 어리석음, 자부심, 슬픔, 두려움, 무기력, 죄의식, 수치심 등이 이런 중생심을 나타내 주는 말이라고 생각합니다.

살면서 어떤 사람이 나이나 역할에 따라 기대되는 바람직한 말이나 행동을 하지 못했을 때, 그 사람을 비난하며 무작정 매도하는 태도는 지양하시길 바랍니다. 그 대신 '음, 사람(중생)이라면 그런 마음이 들 수도 있겠다. 저 사람이 살아온 또는 처한 환경에서 내가 자랐다면 또는 그 사람의 의식 수준에서는 충분히 그럴 수 있겠다.', '나도 (전생에) 저런 때가 있었지/있었겠지'하는 이해와 연민의 마음을 내시길 바랍니다.

그 사람이 특정 언행을 함으로써 받는 결과에 대해서는 그 사람이 기꺼이 책임을 져야 하겠지만, 그 사람에 대한 나의 반응은 그 사람을 욕하고 비난하는 여느 다른 사람과 같을 필요는 없습니다. 비난하고 화를 내는 것보다 이해와 연민의 태도를 갖는 것이 훨씬 온전하고 자신의 카르마 해소에 이롭습니다.

41.부처님, 예수님이라면 어떠셨을까?

삶에서 어떤 선택의 순간에 있다면 다음과 같은 고민을 해보길 바랍니다. '부처님이나 예수님이라면 어떻게 하셨을까?'. 선택의 순간에 이 질문을 함으로써 나의 욕심이나 자존심 또는 부정적인 감정은 잠시 제쳐두고 사랑과 겸손의 마음에서는 어떤 선택이 나올 수 있는지 생각해 볼 수 있습니다.

예를 들면, 나에게 평소 잘 대해주지 않아서 내가 서운한 마음을 가지고 있는 상대가 나에게 어떤 부탁을 해온다면, 나는 당연히 그 사람에게 호의를 베풀고 싶지 않은 마음이 들 것입니다. 하지만, 예수님이나 부처님이셨다면 어땠을까요? 이런 질문을 스스로의 내면에 던져보면, '그 사람을 용서하고 친절을 베푸셨을 것이다'라는 내면의 대답이 자연스럽게 나옵니다. 예수님이나 부처님을 존경하고 본받고자 하는 사람이라면 이런 질문을 자신에게 던짐으로써 부정적 감정에 휘둘리지 않고 사랑이 반영된 행동을 선택할 수 있습니다. 그런 마음의 반영으로 내가 상대에게 잘해줌으로써 상대도 마음을 고쳐먹고 나에게 잘해줄 수 있는 인간관계의 선순환을 창조해 낼 수도 있게 되는 것이죠.

또는 '이번 생에서 나의 임종의 순간에 나는 오늘 내릴 이 선택에 대해 후회하지 않을 자신이 있을까?'라고 자신에게 물어보시길 바랍니다. 이 질문도 감정에 휘둘리지 않을 수 있는 좋은 질문입니다.

42.필요한 것은 다 주어진다

삶을 사는 데 있어 돈, 인맥 또는 어떤 기회 등과 같이 내게 필요한 자원이 부족하다고 느껴져 불안하거나 좌절스러운 경험을 한 적이 누구나 한 번쯤은 있을 것입니다. 이럴 때는 '내가 원하는 것이 아닌, 내게 필요한 것은 모두 주어질 것이다'라는 말을 기억하고 믿으시길 바랍니다.

신이나 하느님이 돌봐주신다고 생각할 수도 있고, 이 삶을 계획한 지혜로운 영혼의 안내를 믿을 수도 있고, 모든 것이 순리대로 흘러갈 것이라는 인연법을 믿을 수도 있고, 나의 잠재의식의 완전한 이끎을 믿을 수도 있습니다. 어떤 형태로 믿든 좋습니다.

이렇게 자기 삶을 자기 자신보다 더 큰 무엇인가에 맡기며 개인의 바람을 내려놓고 삶에 대해 무조건적인 받아들임의 자세로 사는 사람들은 한결같이 어떤 동시성이라든지, 우연의 일치라든지, 기적과 같은 상황의 펼쳐짐에 대한 목격담을 얘기합니다. 마치 내가 어떤 것이 필요한 때에 맞춰 그것이 내 삶에 주어진다는 그런 이야기 말이죠.

이러한 믿음을 받아들이며 사는 태도는 우리의 삶에서 부족함이라는 환상을 걷어 내주고 모든 것이 제때 갖추어진다는 큰 위안과 안도감, 만족감 그리고 풍족함이라는 자신감을 가져다줍니다.

43.하지 말아야 할 다섯 가지

이 내용은 부처님이 말씀하셨다고 법륜스님에게 들은 것인데, 인생을 살아가는 데 있어 다음 다섯 가지를 제외하고는 되도록 다른 사람 인생에 간섭하지 말고 그들이 자유롭게 살도록 내버려 두라는 내용입니다.

  첫째, 다른 사람을 죽이거나 때리는 행위

  둘째, 다른 사람을 성적으로 괴롭히는 행위

  셋째, 다른 사람의 물건을 훔치거나 뺏거나 손해 끼치는
        행위

  넷째, 다른 사람에게 거짓말하거나 욕설하는 행위

  다섯째, 술 마시고 취하는 행위

이 중 다섯 번째는 이것을 하게 되면 나머지 네 가지를 하게
될 확률이 높아진다는 의미에서 하지 말라는 것입니다. 첫 번째부
터 네 번째까지는 한마디로 남에게 손해가 되는 일이나 남을 괴
롭게 할만한 일은 하지 말라는 것입니다.

위 가르침에 더해 평소에 시비분별을 줄이고자 하는 삶을 살면
내면의 불안이 줄고 타인의 삶을 존중해줄 수 있게 됩니다. 예를
들어 아이가 학교에서 공부를 못한다고 야단을 칠 필요는 없어집
니다. 이는 우리 아이가 공부를 못해 다른 사람에게 해를 끼치기
는커녕, 다른 아이 성적을 상대적으로 높여준 좋은 행위가 되기
때문입니다.

실제로 위의 가르침을 명심해 타인이나 자신을 포함한 기타 모
든 생명에게 해를 끼치지 않고 왠만하면 있는 그대로 존중하며
살려는 마음을 먹게 되면, 내 마음이 온화해지고 생명에 대한 사
랑이 피어나서 삶이 한층 더 행복하고 충만해집니다.

44.힘든 지인을 도우려 할 때

'호오포노포노'에서는 무의식의 정화를 강조합니다. 현실은 나의 무의식의 발현이라고 봅니다. 사실 이 말은 영성, 마음공부 분야에서 기본이 되는 내용입니다. 예를 들어, 내가 불행한 사건으로 괴로워하는 지인을 만난다고 해봅시다. 지인은 자신이 겪고 있는 괴로움을 토로합니다. 나는 지인의 아픔에 공감할 수 있고 그에 따라 위로를 할 수도 있습니다.

하지만 잊지 말아야 할 것이 있습니다. 바로 내면에 이렇게 질문을 던지는 것입니다. "나의 내면(무의식)에 어떤 것이 있길래(=어떤 것이 원인이 되어서) 이런 일(=지인이 힘들어하는 모습이 내 삶에 나타남)을 겪는 것일까?" 또는 힘든 지인이 내 삶에 나타나는 것이 아니라 내가 어떤 일을 보고 부정적인 생각이나 감정이 든다면, "도대체 내 안에 무엇이 있길래, 이 일이 이렇게 보이는 걸까?"라고 내면에 묻습니다. 앞의 예는 무의식이 현실이 된다는 원리를 반영한 질문이고, 뒤의 예는 현실에 대한 나의 지각(인식)은 무의식의 영향을 받는다는 원리를 반영한 질문입니다.

앞에서 말한 일들을 겪을 때 밖(환경)을 탓하는 것이 아니라 내면에 이런 질문을 던질 때, 우리는 진정으로 문제를 해결하기 시작하는 것입니다. 의식이 이런 질문을 내면(무의식)을 향해 던지면 비록 나(의식)는 지각하지 못하지만, 문제에 대한 해답을 구하는 나의 의도가 잠재의식(상위 의식)을 통해 신성으로 전달되고 신성으로부터의 영감 또는 해결책이 다시 잠재의식을 통해 무의식으로 전달되어 무의식에 있는 그 원인들을 제거하여 앞에서 말한 문제가 해결되고 나의 지각이 교정되는 원리입니다. 이것이 호오포노포노에서 말하는 치유의 과정입니다.

즉, 괴로워하는 지인을 바꾸려 하지 않고 또 부정적으로 보이는 환경을 바꾸려 하지 않고, 나의 내면에 '나의 내면에 무엇이 이것의 원인인가?' 하는 질문을 했더니, 지인이 변화되고 나의 부정적인 인식이 다르게 변화하더라는 말입니다.

이것은 신성에 도움을 요청하는 방법 중 하나입니다. 바깥에 문제처럼 보이는 것이 있을 때, '그것이 진정 문제가 아니라 내가 보기에 문제처럼 보인다'라는 것을 인식하고 지각의 교정을 요청한다는 점에서 기적수업의 원리와도 통한다고 할 수 있습니다.

이번 글에서 우리 숙지해야 할 것은 마음 바깥에 어떤 문제처럼 보이는 것을 발견할 때는 항상 '나의 내면에 무엇이 있길래, 내가 이런 경험을 하는 것일까?'하고 질문을 던지는 태도를 개발하는 것입니다. 문제의 원인은 바깥에 있지 않고 항상 내 안에 있습니다. 저 사람이 아픈 것의 원인도, 내 안(집단 무의식)에 있고, 저 가게가 망하는 것의 원인도 내 안에 있고, 내가 보는 모든 것의 원인은 내 안에 있다는 말입니다. 지금 당장은 믿기지 않을 것 입니다. 하지만, 열린 마음으로 이렇게 해 나가 보시길 바랍니다. 이렇게 할 때 바깥을 바꾸려 화내지 않고 그저 내 내면을 바라보며 고요히 존재할 수 있습니다. 고요히 존재하면서 영감이 떠오른다면 그것에 따라 평화롭게 말하고 행동할 수 있습니다.

45.악이 아닌 무지로 봄

살면서 나쁜 일을 하는 사람들을 봅니다. 많은 사람이 이런 사람들을 보면서 욕설을 하거나 분노에 휩싸입니다.

흔히 말하는 나쁜 일의 정도가 아주 사소한 것에서부터 사람의 목숨을 앗는 심각한 일까지, 어떤 종류의 일이건 간에, 그런 일을 한 사람을 악마처럼 보아 분노에 휩싸이는 대신, '무지한 사람', '어리석은 사람', '더 잘 알지 못한 사람'으로 보시고 그 사람의 무지와 어리석음에 대해 연민의 마음을 품으십시오.

사람의 의식수준은 일생을 거쳐 변하는 것입니다만, 순간순간에서 보면 특정 의식수준에 있습니다. 의식수준에 따라 마음속에 떠오르는 생각과 감정 그리고 의지의 수준이 다릅니다. 예를 들어, 낮은 레벨의 의식 수준에 있는 사람은 부정적인 사고를 하고, 부정적인 감정을 느끼고, 부정적인 행동할 확률이 높습니다. 높은 레벨의 의식수준에 있는 사람은 긍정적이고 사랑에 기반한 생각과 감정이 의식의 장에 떠오르는 경우가 많습니다.

의식 수준이 낮다, 높다고 해서 '의식수준이 낮은 것은 나쁘고 높은 것은 좋다'라고 받아들이시면 안됩니다. 온도를 예를 들면, 20도가 26도보다 좋거나 나쁜 것이 아닌 것처럼, 의식수준도 각각의 수준에 따라 나타나는 특성이 다른 것일 뿐, 모두가 의식 진화의 선상에 있다고 이해하시면 됩니다. 각자의 속도가 다른 것일 뿐 모두가 언젠가는 다 특정 수준을 통과합니다. 따라서 내가 속도가 빠르다고 자만할 필요도 없고, 속도가 느리다고 좌절할 필요도 없습니다. 다만 서로가 다를 뿐입니다.

의식이 진화할수록 '나라는 느낌' 즉, 아상은(에고는) 점차 옅어져 '내가 잘났느니 또는 못났느니'하는 생각은 점차 하지 않게 됩니다. 의식수준과 관련해서는 데이비드 호킨스 박사님의 '의식수준을 넘어서'라는 책을 읽어보시길 적극 권합니다.

잠시 의식수준을 얘기하느라 얘기가 옆길로 샜는데, 앞에서 말씀드린 '나쁜 일을 한 사람에 대해 연민을 품으라'라는 얘기를 이어 나가보겠습니다. 연민의 마음을 품으라고 해서 그 사람을 내버려 두라는 말은 아닙니다. 그런 마음을 품으시되, 그 사람이 다른 사람들에게 주는 추가적인 피해를 막기 위해 법적인 조치와 같이 취해야 할 조치는 취해야 합니다. 그 사람도 행위에는 결과가 따르는 인과의 법칙을 피할 수는 없으니까요. 하지만 이때에도 그 사람에게 보복하기 위한 마음이 아닌, 다른 사람들을 보호하기 위해 이렇게 하는 것입니다.

또 다른 예는, 전쟁을 할 때 적군을 불가피하게 제거해야 할 때도 그들을 미워해서 그렇게 하는 것이 아니라 우리 가족과 친구를 보호하려는 의도로써 그렇게 하십시오. 그리고 적군을 향해서도 그들이 맡은 임무에 대해 "너희 입장에서 보면 그렇게 할 수밖에 없겠구나" 하며 존중을 표하는 것입니다.

항상 어떤 행위를 할 때는 행위 그 자체보다는 행위를 하는 의도가 중요합니다. 겉으로 보이는 것은 행위이지만 우리 무의식에 저장되어 다음 생까지 영향을 미치는 것에는 행위의 의도까지 포함됩니다.

46.열애 대 사랑

사람들이 하는 얘기를 들어볼 때, 결혼하면 연애 감정이 사라진다고 합니다. 남녀가 처음 만나 연애 초기에는 서로 너무 보고 싶어 하고 같이 있고 싶고 애틋한 감정이 있지만, 결혼하게 되면 또는 시간이 지나면 같이 있는 것이 귀찮고 서로 무관심하게 된다는 것입니다.

우리가 보통 사랑이라고 말하는 것은 이성에 대한 욕망에서 비롯된 열애라는 감정이라고 볼 수 있습니다. 즉, 상대에게 기대어 사랑받고 싶은 욕구, 의지하고 싶은 욕구, 내 외로움을 채워달라는 기대, 삶이 심심하지 않게 같이 즐겁고 좋은 시간을 보내고 싶은 욕구 등 나의 필요를 채워줄 상대방이 필요한 것입니다. 즉, 상대 자체가 목적이 아니라, 나의 욕구를 채우기 위해 상대가 필요한 것입니다.

나의 욕구, 감정, 생각은 항상하지 않습니다. 늘 변합니다. 어떨 때는 욕구가 들끓다가 어떨 때는 아무것도 필요하지 않은 것 같습니다. 마치 배가 고플 땐 밥그릇을 찾다가, 배가 부르면 밥그릇을 멀리 치워버리는 것처럼, 욕구에 기반해 이를 채우기 위해 상대를 만나니, 욕구가 채워지기 전에는 상대를 찾다가, 욕구가 어느 정도 채워지니 상대를 멀리 치우는 것입니다. 즉, 귀찮아지고 혼자 있고 싶어지는 것입니다. 상대가 나의 욕구를 채우는 데 필요한 수단이지, 목적이 아닌 것입니다.

이렇게 우리의 태도가 변하는 과정에서 상대는 상처를 받게 되는 경우가 많습니다. 이 상대가 우리 자신이 되기도 하지요. 우리는 상대에게서 일관된 관심을 기대하는데, 상대는 그렇게 해주지 않으니 나의 기대가 어긋남에 따라 실망과 원망이 생기는 것입니다. 그래서 사람들이 말하길, 결혼 전과 후에 배우자가 너무나 다르다고 성토하는 것이지요.

사랑이 식는 이런 현상에 두 가지 대처 방법이 있다고 봅니다. 첫째는 '사람의 마음이 원래 이렇구나' 하고 알아, 자신과 연인 또한 그럴 수 있음을 기꺼이 받아들이는 것입니다. 둘째는, 아예 의식 수준을 높여 욕망에 바탕을 둔 사랑이 아닌, 사람 그 자체를 목적으로 하는 사랑을 하는 것입니다. 내 필요, 욕구를 채우기 위해 사람을 만나는 것이 아니라, 사람 그 자체를 사랑하는, 그런 수준의 사랑을 하는 것이죠.

이 수준의 사랑은 데이비드 호킨스 박사님이 말씀하신 것처럼 의식 수준 500 이상의 사랑입니다. 이 수준의 사랑은 어떤 '한 사람'을 특별히 사랑하는 그런 독점적이고 소유적인 수준의 사랑이 아니라. 인간이라는 존재 자체를 사랑하는, 신성의 표현으로서 생명을 가진 존재이기 때문에 사랑하는, 가슴에서 자연스럽게 우러나오는 그런 사랑입니다. 독점적이거나 소유적이지 않으며 상대의 조건에 따라 바뀌는 사랑이 아닌, 내 가슴에서 느껴지는, 상대에 대한 순수한 관심과 배려 그리고 지지가 동반되는 사랑입니다.

열애의 감정으로 이성 관계에 접근하지 않고 사랑의 수준으로 관계를 맺을 때, 상대에게 원하는 것이 거의 없기 때문에 실망이나 원망을 하게 될 가능성이 매우 낮으며, 시간이나 상황에 따라 사랑이 변화하지 않기 때문에 상대가 귀찮아지지도 않고 꾸준히 관심을 줄 수 있게 됩니다. 이에 따라 상대방도 자신이 조건 없는 사랑을 받고 있음을 알고 진정으로 관계의 행복을 느끼게 됩니다.

열애 감정에 끌려 욕망을 바탕에 둔 사랑 대신에, 자신의 의식 수준을 상승시키기 위해 노력하고 사랑 그 자체를 나누기 위한 그런 사랑을 하시기 바랍니다.

47.바라는 일이 있다면

이루어지길 바라는 일이 있다면, '내 인생에 무엇이 유리한지 나는 진정으로 알지 못한다'라는 사실을 떠올리고 이루길 바라는 일을 그저 부처님, 하느님, 잠재의식 또는 더 높은 힘에 바치십시오. 끊임없이 올라오는 그 바람, 욕망을 바치는 것입니다. 그리고 무심의 마음, 그 어느것도 욕망하지 않고 지금 이대로 완전하다라는 마음으로 돌아가십시오. 무언가 구하는 마음이 느껴진다면 그때그때 맡기고(내려놓고) 무심의 마음으로 돌아가십시오.

'저는 이 일이 이루어지는 것이 제게 좋은지 안 좋은지 모릅니다. 뜻대로 하십시오' 이런 마음이 되어 탁! 놓아버리는 것입니다. 이런 마음으로 지속해서 바치다 보면 고민이나 갈등 또는 망설임이 없는, 확신이 동반된 자연스러운 영감이 올라올 때가 있습니다. 이런 영감을 바탕으로 행동으로 옮기면 그 과정이 매우 부드럽고 막힘이 없음을 알 수 있습니다.

하지만 어떨 때는 바라는 일이 이루어지지 않을 때도 있을 것인데, 그때는 '그것이 이루어지는 것이 내게 좋지 않았구나' 하고 아시면 됩니다.

위와 같은 방식으로 내 바람에 대한 집착을 놓아버리십시오. 또한 내 인생에 일어나는 일에 대해 '좋은 일이다', '안 좋은 일이다'하는 판단도 위에서 말씀드린 '나는 모른다'라는 마음으로 바쳐 시비분별에서 떠나도록 해보십시오.

48.나 잘 되게 해달라는 말 대신

백성욱 박사님이 말씀하신 가르침 중 하나가 바로 무엇을 하던 '나 잘되게 해주십시오'가 아닌 '이 일로써 부처님 시봉(모시어 받듦) 잘하게 해주십시오' 하라는 것입니다. 즉, 어떤 일을 하던 그 일을 하는 목적을 개인의 영달로 잡지 말라는 것입니다. '내'가 잘 되려고 할 때 그 마음에는 탐, 진, 치 즉, 욕심('그것을 서둘러 해야겠다' 또는 '그것을 더 많이 해야겠다'), 분노('왜 이렇게 빨리 안되나'), 어리석음('자만심')이 따라붙기 쉽습니다. 그래서 괴로움이 뒤따라오죠. 이것은 직접 경험해보셨을 것이기 때문에 조금만 생각해봐도 아실 겁니다.

하지만, 무엇을 할 때 '이것을 함으로써 부처님 잘 모시길 바랍니다'라고 원을 세우면 이 마음에는 탐진치가 붙지 않습니다. 따라서 괴로움도 없습니다. 오히려 아상('나라는 생각')을 내려놓는 연습이 되기 때문에 마음이 편해져 일이 수월하게 진행되는 경우가 많습니다.

'부처님 시봉'이라는 말이 익숙하지 않으신 분은 '예수님(하느님)께 바치기 위해', '많은 사람에게 도움이 되기 위해', '더 큰 선을 위해'라고 바꿔 마음먹으셔도 됩니다. 핵심은 개인의 영달을 목표로 하지 않고 나보다 더 큰 무엇인가를 목표로 해 '나'를 내세우지 않는 것입니다.

'무엇인가를 해냈다'라고 생각이 들었을 때도 **'그저 인연이 되어서 더 큰 힘(잠재의식, 부처님, 하느님 등)에 의해 내가 이렇게 이 자리에 쓰였다'**라고 생각하십시오. 스스로를 내세우지 마십시오. 왜냐하면 '나'라는 아상과 자유의지는 의식이 몸과 동일시되어 발생한 환상이기 때문입니다.(이것은 깨달음 편에서 다룰 내용이기 때문에 지금은 이해가 되지 않아도 넘어가시기 바랍니다.)

이 두 가지가 실생활에서 아상('나라는 생각')을 내려놓는 굉장히 강력한 태도이자 마음의 평안을 가져오는 자세이니 한 번 실천해보시길 바랍니다.

49.수단이 아닌 목적

일이나 사람을 사귈 때나 삶을 살아가는 데 있어 여러 행동을 하게 되는데 그럴 때 행동 그 자체를 목적으로 하십시오. 그 행동이 어떤 것을 위한 수단이 되게 하지 마십시오.

법륜스님이 말씀하신 예를 들어보겠습니다. 무대에서 **춤을 추는** 춤꾼이 있습니다. 그 댄서는 사람들의 흥을 돋우기 위해 돈을 받고 춤을 춥니다. 그리고 그 무대 아래에는 춤을 추러 돈을 내고 온 사람들이 있습니다. 정해진 시간이 끝나고 시간이 연장되면 춤꾼은 연장 근무에 대한 추가 수당도 없이 춤을 춰야 하니 불만이지만, 춤을 추는 사람은 추가로 춤을 더 출 수 있다며 좋아합니다. 똑같은 춤을 추고 있는데 돈을 받고 춤을 추는 사람은 울상이고 돈을 내고 춤을 추는 사람은 웃음을 짓습니다.

돈을 받고 춤을 추는 사람에게는 돈이 목적이고 춤은 돈을 벌기 위한 수단입니다. 돈을 내고 춤을 추는 사람에게는 춤이 목적이고 돈은 그 목적을 이룰 수단입니다. 법륜스님은 이런 비유를 드시며 노동으로부터의 자유가 근로시간 단축이나 임금 인상이 아닌 노동이 놀이화 즉, 노동 그 자체가 목적이 됨으로써 가능하다고 말씀하십니다.

저도 이 생각에 동의합니다. 월급이 우리 삶에 당연히 필요하지만, 회사에서 우리가 하는 일을 순간순간 우리 삶의 목적으로 삼을 수 있음을 잊지 마시기를 바랍니다. 예를 들어 제가 아침마다 피트니스 센터를 오픈하는 일을 한다면, 저는 돈을 벌기 위해서 그 일을 한다고 생각하는 것이 아닌, '나는 아침마다 센터를 오픈함으로써, 아침에 운동하러 오는 회원들이 건강을 위해 운동할 수 있게 하고, 이로써 세상에 기여한다'라고 생각할 수 있습니다. 세상에 기여하는 삶과 같이 이타적인 목적 자체가 우리가 보람있게 일하고 또 최선을 다할 수 있게 한다고 생각합니다. 하지만, 그저 돈을 위해 일을 한다고 하면 일이 지루하고 보람 없게 되어버리는 경우가 많습니다. 왜냐하면 과정(일)은 중요하지 않고 결과(돈)만 중요시 하니, 과정은 뒷전이기 때문이지요.

연애를 하는데 있어서도, 어떤 타인과 연애를 하면서 느끼게 되는 설레는 감정 자체에 도취하여 연애하려고 하지 말고, 나와 관계를 맺고 있는 그 사람 자체를 목적으로 두고, 그 사람의 안녕과 행복을 위해 관계를 맺으시기를 바랍니다. 그 사람과 관계를 맺음으로써 얻는 이익을 위해 그 사람과 사귀게 될 때, 그 이익을 이제는 얻지 못한다면 또는 권태감이 온다면 그 사람이 귀찮아지게 되는 것입니다. 그러면 그 사람은 상처를 입게 되겠지요. 이는 그 사람을 목적이 아닌 내 쾌락이나 편의를 얻기 위한 수단으로 대했기 때문입니다.

삶을 살아가는 데 있어도, 미래의 목표를 위해 현재의 행동을 희생한다고 생각하는 경우, 미래나 과거에 정신이 팔려 현재에 깨어있지 못한 경우도 마찬가지입니다.

항상 현재 하는 일 자체에 깨어, 지금 내가 하는 일에 집중하고 소중히 여기는 자세가 필요합니다. 예를 들면, 감자전을 만들기 위해 감자를 깎는다고 합시다. 그러면 미래의 감자전만 생각하면 현재 해야 하는 감자 깎는 일이 귀찮아질 수 있습니다. 하지만, 동작 하나하나에 깨어있으면 '귀찮다는 생각'과 같은 부정적인 생각이 전혀 끼어들 틈이 없습니다.

스포츠 대회를 준비하는 선수들의 예를 들어 보겠습니다. 미래 금메달을 위해 운동을 한다고 해도 운동할 때는 현재 순간에 집중해 최선을 다하십시오. 자꾸 마음이 '미래에 내가 메달을 딸 수 있을까?' 이렇게 가 있으면 좋은 결과를 내기 어렵습니다. 미래를 위해 내가 지금 하는 동작 하나하나에 깨어있고 그 동작 하나하나를 수단이 아닌 목적 그 자체로 여기고 최선을 다하십시오.

50.온전한 시각

타인과 자기 자신에 대해 온전한 시각을 가지는 것이 마음의 평안을 위해 꼭 필요합니다. 온전한 시각이라는 것은 나와 타인의 모습을 따뜻한 이해와 연민의 시각으로 보고 그 모습을 있는 그대로 받아들이는 것을 말합니다. 있는 그대로 받아들인다는 것의 의미는 그들이 부족해 보여도 그것은 내가 지각 또는 인식하기에 그렇게 보일 뿐이라는 것을 알면서 그 모습 자체를 긍정하는 것입니다. 그들의 현재 모습을 내 기대 또는 이상에 맞춰 재단하면서 이렇게 되어야 해, 저렇게 되어야 해 하면서 그들을 판단하지 않는 것입니다. 그들의 있는 모습 그대로를 그들의 운명으로 인정하고 지지해주는 것입니다.

알코올 중독이면서 폭력적인 아버지가 있다면, 그 모습이 아버지의 현재 상태라는 것을 인정하고 그런 아버지에 대해 연민의 마음을 낼 수 있도록 노력하는 것입니다. 그렇다고 그런 아버지를 무조건 품으면서 살라는 말은 아닙니다. 같이 사는 것이 괴롭다면, 자신을 보호하기 위해 따로 살 수 있지요. 하지만, 내면에서는 그런 아버지에 대해 연민의 마음을 낼 수 있습니다. 아버지가 나를 때리고 그랬더라도 말입니다.

물론 이런 마음을 내는 것이 쉽지는 않겠지요. 왜냐하면 내 내면에 아버지라면 마땅히 사랑을 주고 따뜻하게 나를 배려해줘야 한다는 믿음이 있기 때문에 그런 믿음에 벗어난 아버지의 언행을 받아들이기 쉽지 않을 것입니다. 하지만 마음공부를 계속 하다보면 내 내면의 한이 풀리고 아버지가 '아버지'가 아닌 한 인간 존재로 인식 될 것이고 그(아버지) 또한 그 나름대로는 내면의 괴로움을 그렇게 푸는 것 밖에 알지 못했구나 하며 연민의 마음이 피어나게 됩니다.

51.무엇을 바꿀 것인가

우리는 문제에 봉착했을 때 세상을 바꿀 것인지, 세상에 대한 내 마음을 바꿀 것인지 선택해야 합니다. 세상을 바꾸는 것이 때로는 쉬울 수도 있습니다. 하지만 어떨 땐 그것이 어렵습니다. 그래서 우리의 마음을 바꾸는 것이 현명한 선택일 때가 있습니다. 우리의 마음을 바꾼다는 것은 문제 상황에 대한 나의 인식을 바꾸거나 나의 기대를 내려놓는 것을 포함합니다.

마음을 바꾸고자 하기 전에 저는 "부처님, 예수님이라면 이 상황에서 어떻게 했을까? 내가 하고자 하는 것처럼 하셨을까"라고 스스로에게 물어봅니다.   제 개인적인 경험에 비춰볼 때 이런 질문을 하게 되는 때가 오면 대부분 그 답은 '아니다' 였습니다. 그렇다면 내 마음을 바꾸기로 마음을 먹게 되는데, 그때 어떻게 이 상황을 다르게 볼 것인가 하는 문제가 남습니다. 이럴 때는 성령에게, 주인공에게, 참나에게, 수호천사에게, 영혼에게, 나보다 더 높은 힘에게, 잠재의식에게 이 상황을 다르게 볼 수 있게 해달라고 부탁, 기도하십시오.

부탁이나 기도라는 말이 꺼려진다면 그저 '나는 이 상황을 다르게 볼 수 있다'라거나 '나는 이 상황을 다르게 보기로 선택한다'라고 속으로 계속 되뇌십시오. 이렇게 하다 보면 머지않아 상황을 다르게 볼 수 있는 통찰력이 문득 떠오르거나 그런 상황이 발생하는 경험을 하실 수 있으실 것입니다.

52.사람들을 이롭게 해달라고 마음먹으십시오

마음이 그저 외부 환경에 의해 프로그램된 목소리라는 것을 안다면, 타인 또한 그러하다는 것을 알 수 있습니다. 이런 이해를 바탕으로 타인의 순진무구함을 보며 또, 그들을 부처님, 예수님으로 보고 그들을 이롭게 해달라고, 부처님 잘 모시게 해달라고 기도하고 마음먹으십시오. 개인적인 이득을 구하려는 마음이 올라올 때마다 알아차리고 내려놓기를 선택하십시오. 그리고 마음속에 올라오는 이기심조차 연민으로 바라보십시오.

53.성공은 내면의 결과입니다

성공은 외부의 결과가 아닌 내면의 결과입니다. 진정한 성공이 무엇인지에 대해서도 생각해보아야 합니다. 돈만 많이 벌었다고 성공일까요? 1억 벌면 2억 벌고 싶고 이렇게 끝없이 이어지는 탐욕 속에서 허덕이는 것보다는 마음의 평안을 추구하십시오. 지금 얼마를 벌든 마음의 평안을 먼저 찾으십시오. 돈을 벌지 말라고 하는 게 이닙니다. 마음의 평안을 돈보다 더 우선시하길 바랍니다.

누가 얼마 벌었네 하는 기샷거리에 흔들리지 마십시오. 돈 자체를 목적으로 삼지 말고 내가 이 세상에 잠깐 동안 살면서 세상에 어떤 이익을 가져다줄 수 있을지 생각하고 실천하려고 하십시오. 그러면 자연스레 돈이 따라옵니다.

54.성 프란치스코의 평화의 기도

주님,
저를 평화의 도구로 써주소서.

미움이 있는 곳에 사랑을
잘못이 있는 곳에 용서를
분열이 있는 곳에 일치를
그릇됨이 있는 곳에 진리를
의심이 있는 곳에 믿음을
절망이 있는 곳에 희망을
어둠이 있는 곳에 빛을
슬픔이 있는 곳에 기쁨을 가져오는 자 되게 하소서.

위로받기보다는 위로하고

이해받기보다는 이해하며

사랑받기보다는 사랑하게 하여 주소서.

왜냐하면 우리는 나를 잊음으로써 나를 찾고

용서함으로써 용서받으며

죽음으로써 깨어나 영생에 들어가기 때문입니다.

55.이해와 연민 그리고 용서

　이해와 연민 그리고 용서의 관점에서 우리의 인간적인 약점, 실수, 못남을 마치 어린아이의 바라보듯 바라볼 때, 우리는 타인 뿐만 아니라 자기 자신을 치유하고 진심어린 친절을 배풀기 시작합니다. 자신을 치유함으로써 타인도 치유하게 되고, 타인을 용서함으로써 자기 자신도 용서받게 됩니다.

56.인간 삶의 목적

　당신 삶의 목적을 당신의 운명을 실행함으로써 인류에 봉사하고 의식 성장을 통해 깨달음을 추구하는 것으로 삼을 때 더 이상 미래에 대한 고군분투가 사라지고 내적인 풍요로움을 경험할 수 있습니다.

57.어둠을 택하는 영혼

타인을 치유하는 길을 가야하는 영혼은 빛을 찾는 법을 알려주기 위해 스스로가 어둠속에서 빛으로 빠져나오는 길을 택하는 경우가 있습니다. 그러니 어둠을 약으로 삼으십시오.

58.밖이 아닌 내면으로

마음공부, 심리치료, 영성, 의식 계발하기 등 내면에 대해 작업하는 것을 무엇이라고 불러도 좋습니다. 하지만 내면을 편안하고 풍요롭게 하기 위해서는 반드시 눈을 밖에서 내 내면으로 돌려 마음이 불편한 원인을 밖이 아닌 내 내면에서 찾아야 합니다. 그 상황 때문이 아니라, 그 사람 때문이 아니라 내 마음씀씀이가 지금 어떤지 살펴야 합니다. 이 마음씀씀이는 내 무의식을 포함합니다. 이 무의식을 정화하고 바로잡아 나가기 위해 감정자유기법을 하고 금강경을 독송하고 마음바치기를 하길 추천드립니다. 마음바치기는 백성욱 박사님의 가르침을 검색해보십시오.

59.너를 좋아한다는 것

내가 너를 좋아할 때, 나는 내가 너와 같이 있을 때 느끼는 그 행복한 감정을 좋아하는 것일까, 아니면 너 그 자체가 좋은 것일까? 만약 전자라면 나는 너를 수단으로써 좋아하는 것이고 후자라면 너는 목적 그 자체가 되는 것이겠지. 우리가 만약 이원성에 빠져 타인을 자기 자신으로 볼 수 없다면, 타인을 목적 그 자체로 사랑하는 것이 가능할까?

타인을 진정 자기 자신으로 보는 것이 진정한 사랑 아닐까? 그러기에 이원성을 초월하려는 깨달음에 대한 추구는 인류에 대한 진정한 사랑을 실천하려는 소중한 움직임이 아닐까?

60.내면을 먼저 돌아보기

타인을 향한 우리 내면의 공격적인 마음이 세상에 투사되어, 우리는 타인이 우리에게 공격적이게 행동할 것이라고 지각하게 됩니다. 그러니 사람들이 잘난 척 하는 것 같이 보인다면 내 마음 속에 우월하고자 하는 마음이 있는지 돌아봐야 하며, 사람들이 나를 미워하고 나에게 적대적이라고 느껴진다면 내 마음속에 타인을 향한 적대심과 배타적인 마음이 없는지 우선 살펴야 합니다. 솔직하게 자신의 마음을 살펴본다면 자신의 마음속에 이런 소질이 있다는 것을 발견할 수 있을 겁니다.

사람들이 나를 속이지 않을까 걱정된다면 내 마음에 남을 속이고자 하는 마음이 있는지 살펴봐야 합니다. 내 마음이 고요하고 사랑으로 차 있으면 타인이 적대적으로 굴어도 나는 그것을 연민으로 봐 낼 수 있으며, 잘난척하며 으스대도 애정으로써 바라볼 수 있습니다.

61.순진한 마음에 대한 연민

나는 아무 잘못을 하지 않았는데 타인이 나를 미워하는 경우

내 마음에 생길 수 있는 억울함을 있는 그대로 인정하고 알아줌으로써 수용하고 타인에 대해서는 그의 마음이 진실과 거짓을 구분하지 못한다는 점을 알아 연민의 마음으로 대할 수 있습니다.

다시 말해, 그가 자신의 내면에 대한 돌아 봄이 없는 경우 그는 그가 보고 들은 대로 판단할 수 밖에 없으며 떠오르는 생각과 감정을 그대로 믿어버리는 속박에 처해있음을 알고 우리는 그에 대해 연민의 마음을 품을 수 있습니다.

62.감정 정화하기

과거에 해소되지 않아 내면에 쌓여있는 감정들 중에는 의식적으로 떠올릴 수 있는 것들고 있고, 떠올릴 수 없어 무의식화 된 것들도 있습니다. 부정적인 감정들을 사건 당시에 있는 그대로 인정하며 수용하지 않고, 억압, 희피, 합리화하며 느끼지 않으려고 하면 내면에 감정 에너지가 쌓입니다. 이렇게 쌓인 감정들을 '상처받은 내면아이'라고 합니다. 형상이 있는 것에 우리가 형태와 이름을 붙여 쉽게 파악할 수 있게 한 것처럼, 비록 형상은 없지만 이름을 붙여 마음의 내용물을 쉽게 파악할 수 있게 한 것입니다.

상처받은 내면아이와 같은 이런 부정적인 감정들을 해소하는 것은 편안해지고 내적으로 성장하는데 매우 중요합니다. 미해결된 부정적인 감정들은 내면에 불안, 불신, 공포, 우울 등을 초래합니다. 세상을 보는 우리의 안경에 떼가 끼는 것입니다.

알아차림만으로는 내면에서 계속 떠오르는 부정적인 감정, 생각을 없애기 쉽지 않습니다. 생각하고 싶지 않고, 지우고 싶은 과거의 사건들을 다시 기억해내고 그곳에서 있었던 일, 꼴보기 싫은 사람 등을 떠올렸을 때 느껴지는 부정적인 감정에 대해, 그런 감정이 있었다는 것을 알아주고 그런 감정을 느꼈을 나 자신을 만나 달래주어야 합니다. 그러면서 미운 사람의 경우는 그 사람을 내 내면에서 놓아주기를 마음먹어야 합니다. 이런 식으로 치유의 과정이 벌어집니다.

부정적인 감정을 느끼면서 EFT(감정자유기법)에 따라 태핑 지점을 두드려주면 부정적인 감정이 사라지기 시작합니다. 이것이 제가 즐겨하는 내면 정화인데 이렇게 하면 눈물이 나고 속이 편해지는 것을 느낄 수 있습니다. EFT를 검색해보시고 배워 본인의 트라우마에 적용해보세요.

63.학생의 마음

학생의 마음을 취하면 그에게 삶은, 그 자체로 공부거리가 됩니다. 언제나 배울 점이 눈에 띕니다. 안좋은 일처럼 보이는 사건을 경험해도 그것에서 배울 점을 발견합니다. 이런 마음을 지니고 사는 사람은 아상이 많이 쉰 사람이라고 말씀드립니다.

64.외부가 아닌 내면

당신이 행복해지기 위해 최선을 다해 변화시키려 노력하십시오.

외부가 아닌 당신 내면을!

65.보기 좋아 보이는 삶

남들과 비교해 보기 좋아 보이는 삶을 살려고 하지 말고, 당신이 진정으로 살고 싶은 삶을 상상해보고 그 삶을 사십시오. 이렇게 살면 행복이 저절로 따라옵니다.

66.왜 그땐 몰랐을까?

왜 그땐 몰랐을까? 왜 사회초년생일 땐 미래를 걱정하며 조급하기만 했을까? 자리를 잡고 나면 오히려 공부하며 내실을 다져가는 학생일 때도 그 나름대로 보람있고 행복한 때라는 것을 왜 그 땐 알지 못하고 전전긍긍 했을까? 지금 이 순간에 온전히 머무르며 지금의 나의 상황에 감사해보는 하루입니다.

67.당위적인 태도

제가 생각할 때, 인생을 너무 당위적인 태도로 살게 되면 삶이 피곤합니다. 예를 들면, 나는 이걸 꼭 해야해, 내 부모님은 이래야 돼, 내 남자친구는 이러면 안 돼. 이런 태도는 현실을 있는 그대로 받아들이지 못하고 저항하는 태도인데, 이것이 지나치면 본인의 내면에는 물론 타인과의 관계에 갈등을 발생시킵니다.

우선 현실을 있는 그대로 바라보고, 저항하지 않고 담담히 받아들입니다. 이 과정에서 현실이 그러할 수 밖에없는 이유를 탐구하고 이해하면 마음이 편합니다. 그리고 난 후 변화를 시도하는 게 내면의 평화에 이롭습니다.

저는 주로 상대를 이해하려 하고 그 다음 상대를 바꾸려는 제 마음을 들여다보고 내려놓는 작업을 하는데 이것이 성공해서 상대를 현재 있는 그대로 바라볼 수 있게 되면 마음이 편안합니다.

물론 타협할 수 없는 가치가 있어 서로가 더 이상 같이 하지 못한다면 각자의 길을 가겠지요. 또한 상대가 나에게 해로운 영향을 끼쳐 피하는게 상책이라 생각된다면 우선 피하는 게 현명할 것입니다.

68.타인의 마음을 알려면

내 마음이 어떻게 돌아가는지 알면 타인 마음도 어떻게 돌아가는지 알게 됩니다. 그래서 내가 괴로울 때 그 괴로움을 잘 극복하면 타인의 괴로운 마음을 치유할 수 있는 단서를 얻게 됩니다.

69.보편적인 감정이라는 인식

부정적인 감정을 해소하고 싶을 때는 이 감정이 다른 사람도 겪는 보편적인 감정이라고 인식하고 이 감정 자체에 대해서는 연민을, 그 사람들에게는 자비의 마음 즉, 편안해지기를 바라는 마음을 내보십시오. 그러면 순식간에 의식수준이 부정적인 레벨에서 연민, 사랑의 레벨로 올라가 마음이 편안해집니다.

70.마음이 내 업보다

마음에서 일어나는 것들, 특히 부정적인 생각과 감정들은 남 때문에 일어나는 것이 아니라 내 업식 때문에 일어납니다. 이런 생각과 감정들을 내 업식 그 자체라고 생각하시면 됩니다. 이것만 알아도 남 탓이 많이 줄어들고 세상을 향한 원망, 억울함, 분노 또한 많이 줄어듭니다.

예를 들면, 내 마음속에 자꾸 우월감이 느껴진다면, 이 우월한 마음이 내 업보인 것입니다. 타인이나 주변 환경 때문에 이런 마음이 일어나는 것이 아니라 내가 과거(1년 전, 10년 전, 전생 등)부터 이런 마음을 연습해왔기 때문에 여러 환경에서 이런 마음이 발현되는 것입니다.

71.방아쇠와 화약

총에는 방아쇠가 있고 화약이 있습니다. 화약은 내 업보 즉, 탐(욕심), 진(분노), 치(어리석음)를 의미합니다. 방아쇠는 주변 환경을 의미합니다. 예를 들어, 자신의 내면에 진심 즉, 분노의 마음이 없는 사람은 주변에서 욕을 해도 화가 나지 않습니다. 저 사람은 그렇게 생각하는구나 하며 그냥 그러려니 합니다. 그런데 우리는 타인이 우리에게 욕을 해서 화가 난다고 생각합니다. 그런데 사실은 반대입니다. 우리 내면에 화가 있기 때문에 타인이 욕을 하면 그 화가 발현이 되는 것입니다. 이렇게 보는 것이 마음공부하는데 도움이 됩니다.

72.비판의 메아리

남을 비판하는 연습을 계속하면, 그 비판하는 목소리가 나의 내면에 자리 잡게 되는데 이 목소리가 이제 자기 자신을 비판합니다.

어렸을 때부터 주양육자로부터 비판 받으면 그 주양육자의 목소리가 내면에 자리 잡아 나를 괴롭힙니다.

이 내면의 비판자(내면의 비판적인 목소리)를 해소하는 방법은 첫 째, 이 목소리를 알아차리고 이 목소리에 대해 연민을 품는 것입니다. 둘 째, 이 목소리를 들었던 기억들을 떠올리고 기억별로 남아있는 트라우마를 해소하는 것입니다.

73.너는 그렇게 봤구나

물이 반 정도 찬 물컵이 있습니다. A는 물이 반 밖에 없다고 하고 B는 물이 반이나 있다고 합니다. 현상을 보는 견해차이지요. A와 B의 견해가 대립할 때 '너는 어떻게 그렇게 보는지 난 도무지 이해할 수 없다'가 상대를 존중하지 않는 자세이고, '넌 그렇게 볼 수도 있겠구나'라고 견해를 인정해주는 자세가 상대를 존중하는 자세입니다.

옳고 그른 견해로 보는 것이 아닌 여러 견해 중 한 가지로 인정하는 것입니다. 연인 간에도 마찬가지입니다. '너는 그렇게 봤구나' 인정해주며 상대가 느낀 감정에 공감해 줄 수 있습니다.

74.사랑이라는 삶의 동력

부모가 자식에게 느끼는 사랑은 무조건적인 사랑과 그 느낌이 유사한데 이를 통해 부모들은 세상을 살아가는 원동력을 얻습니다. 무조건적인 사랑을 가슴에서 깨닫고 이 사랑의 범위를 자식을 넘어 세상 사람들과 나누고 그들을 지지하며 그들이 성장하도록 도우려는 사람들이 있습니다. 이런 사람들 중 일부는 굳이 자식을 낳으려 하지 않는 경향이 있는 것 같습니다.

75.받아들임

마음에 떠오르는 것들과 외부에 벌어지는 상황들에 대한 완전한 받아들임 즉, 저항하지 않음이 괴로움에 대한 강력한 해결책입니다. 받아들이지 못하면, 무의식 속으로 억압되거나 증상이 계속되는 형식으로 표출됩니다.

76.애정결핍

애정결핍은 끊임없이 외부에서 사랑을 갈구하는데 그 자체의 결핍은 결코 온전히 채워지지 않습니다. 해결책은 자기 자신이 스스로를 사랑하는 것입니다. 내면 아이를 보살피고 사랑을 베풀어주는 것입니다. 사랑을 받으려고 하기보다 사랑을 주는 상태가 될 때 이 결핍의 상태에서 빠져나오게 됩니다.

결핍은 받아서 채워지는 것이 아니라 줌으로써 채워집니다.

77.각자의 정당한 논리

각자 자기만의 정당한 논리가 있습니다. 왠지 벽보고 얘기하는 것 같을 땐, 상대가 말이 안통한다고 비난하기 보다, 내가 내 생각을 너무 고집하고 있지 않은지 돌아봅니다. 상대도 고집이 센데, 그 고집센 상대를 바꾸려고 설득하려는 나는 얼마나 더 고집이 센가요?

78.내 무의식의 반영

내 마음을 심란하게 한다고 생각되는 사람들을 내 무의식의 반영으로 보고 내 안의 그러한 요소에 대해 용서하고 '나도 그럴 때가 있었지' 하며 너그러운 마음으로, 과거의(전생의) 나를 바라보듯이 그들을 바라보고 자비롭게 대할 때, 내 마음에 평온이 찾아옵니다.

79.아무리 옳은 말이라도

아무리 옳은 말이라도 반발심이 생겨나게 하는 것은 어리석습니다.

80.타인을 위한 기도

마음이 불편한 타인의 평온함을 위해 진심으로 기도하는 것이 자기 자신에게 도움이 된다는 것을 믿으시고 실천하셔서 경험해

보시기 바랍니다.

81.성장을 위한 약

불편한 마음에서 평온함과 성장을 향한 동기가 솟아나기 때문에 심난한 마음을 성장을 위한 약으로 삼으십시오.

82.내면의 불완전함

상담사들이여, 당신들 내면의 불완전함을 부끄러이 여겨 자신이 상담사 자격이 없는건 아닐까하고 의심하지 마십시오. 그 불완전함을 극복하려 노력함으로써 좋은 상담자가 될 수 있습니다.

그 불완전함을 좋은 자양분으로 삼아 자기 내면으로 파고 들어가십시오. 그렇게 하는 힘이 쌓여 인간 심리에 대한 치유의 통찰을 가져올 것입니다. 이 통찰로써 자신이 치유되고 남을 치유할 수 있습니다.

83.인연에 감사함

나와 인연이 되는 사람들, 당신들을 통해 저의 내면을 봅니다. 어떤 생각과 감정이 일어나는지 알아차림으로써, 내 안의 해소해야 할 것들을 용서하고 수용합니다.

이 마음이 더 성숙해질 수 있도록 도움을 주시는, 나와 인연이 되는 모든 분들께 감사드립니다.

84.판단을 유보하는 자세

　타인의 언행이 이해가지 않고 즉각적으로 비난하고 싶을 때는
'저 사람이 저렇게 하는 이유가 있겠지'
'저 사람은 왜 저렇게 하는 걸까?'
'저 사람은 진정으로 무엇이 자신을 위하는 것인지 알지 못하는
구나'
'모든 사람은 자신의 의식수준에서 최선으로 보이는 것을 택한다'
'주여, 저는 이 일의 의미를 진실로 알지 못합니다'와 같은 판단유
보의 자세,
이해하려는 자세, 사건에 대한 해석을 내맡기려는 자세를 가지시
길 바랍니다.

85.잘 섬기기 위한 도구

　어떤 일을 통해 돈을 버는 것 보다는 그 일로써 어떻게 사람들
을 잘 섬길지에 마음의 무게를 더 두시기 바랍니다.
　내가 돈을 원하는 것과 관련되어서는 나의 내면에 돈과 관련된
결핍이 있는지를 찾아보시고, 발견된다면 그 부정적인 감정과 신
념을 우선적으로 해소하십시오.

86.밖에 있는 것처럼 보이는 것

　사실 저 밖에 있는 것처럼 보이는 것은 내 안에 있는 것이 밖
으로 나타난 것입니다. 예를 들어, 직장에서 일을 하고 있는데, 무

례한 손님을 만난다면, 그 손님의 무례함, 오만함이 사실은 내 내면의 소질이란 것을 내면을 살펴본다면 알 수 있을 것입니다.

내가 무례하다고, 안좋다고 보는 그 태도가 사실은 내 깊은 내면에 남아있는 태도입니다. 밖에 실제로 '무례한 손님'이 있다고 보는 관점을 거두시고, 세상에서 경험하는 모든 것을 내 무의식(집단 무의식을 포함함)의 발현으로 보고, 내 내면을 정화할 기회로 삼으시기 바랍니다.

87.외로움은 어디서 비롯될까

외로움은 오로지 자기 자신만 생각하는데서 비롯됩니다. 우리는 일반적으로 누군가 나를 사랑해주지 않아서 외롭다고 생각합니다. 누군가 나를 사랑해주면 잠시는 그 달콤함에 취해 외로움을 못느낍니다. 하지만, 그 누군가와 좀 더 지내보세요. 그러면 그 사람과 같이 있어도 내 내면에 채워지지 않은 공허함, 외로움 때문에 금새 또 외로워진다는 것을 발견할 수 있을 것입니다.. 이 외로움에서 벗어나고 싶다면 사랑을 받으려고 하지말고 사랑을 줘야 합니다. 사랑을 주기 위한 방법으로 나 자신을 우선 사랑하고 또 타인의 복지에 진심으로 관심을 가지집시오. 나 자신을 사랑한다는 것은 내 내면의 생각과 감정 즉 마음에 깨어있어, 기민하게 알아차리고 내 생각과 감정에 대해 연민과 사랑을 가지는 것을 의미합니다.

외로움이란 감정을 느끼고 있다는 것을 알아차렸다면 그런 내 자신을 있는 그대로 받아들여주시고, 마치 내 안에 어린아이가 외로움을 느끼고 있다고 상상하고 그 어린아이를 다독이듯이 그 외로운 감정을 알아주고 이해해주고 격려해주세요. 저는 외로움을 느꼈을 때, 저처럼 외로움을 느끼는 분들을 상상하고 그들을 격려하는 마음, 외롭지 않았으면 하는 마음, 다독이는 마음을 냈습니다. 그랬더니, 제 외로움이 사라졌습니다. 지금 눈을 감고 직접 한 번 해보시기 바랍니다. 곧 바로 마음의 변화를 느끼실 수 있습니다.

88.일을 하는 이유

같은 언행을 하더라도 그렇게 하는 의도를 사랑과 자비 또는 더 고귀한 자질에 바탕을 두십시오. 예를 들어, 일을 하더라도 먹고 살기 위해 어쩔 수 없이 한다는 마음으로 하지 마시고 나의 가족에서부터 시작해, 세상 사람들의 더 행복하고 편리한 삶을 위해 한다는 마음을 제일 우선으로 품고 하시기 바랍니다.

먹고 사는 것을 숭고한 행위로 보고 여러 생명(세포 기관 등)의 집합체인 육체를 먹여 살리기 위해 돈을 번다고 생각하시면 이것 또한 좋습니다. 핵심은 자기중심적인 태도가 아닌 이타적 태도이며, 어쩔 수 없이 하는 것이 아닌 자발적인 태도입니다. 돈은 내 돈 그릇에 따라 부가적으로 따라오는 것으로 생각하십시오.

89.사회의 분열과 다툼

내편 네편 나누어서 싸우는 것은 인간 역사에 고유한 것이었고, 사회의 발전은 언제나 내 기대보다 느리게 이루어지는 경향이 있습니다. 그러니 정치와 사회를 바라보며 분개하는 것을 그만두고 내면의 정화와 성장에 집중하십시오. 사회의 발전과 후퇴는 더 높은 힘, 신 등에게 맡기십시오.

당신이 윤회하며 성장하는 존재라고 가정할 때, 밖으로 보이는 곳 즉, 사회에는 분열과 다툼이 예전에도 있었고, 지금도 있고, 미래에도 있을 것입니다. 밖을 시비분별 하기 전에 내 안의 다툼부터 끝내십시오. 내면의 다툼이 끝난 이는 밖의 다툼을 보지 않게 될 것입니다.

90.행복을 위해 어떤 것이 필요하다는 믿음

"남자든 돈이든 뭐라도 있으면 심보는 좋아져. 내가 가진게 뭐가 있니? 아무것도 없는 내가 심보가 좋을리가 있겠니?"

드라마 '나의 해방일지'에 나온 대사와 얼추 비슷합니다. 내가 지금 행복해지기 위해서 무엇인가 반드시 있어야 한다는 늪에서 빠져나오십시오. 이것을 믿는 한, 나의 행복은 너무나 취약한 상태에 있습니다. 왜냐하면, 뭐가 있어야 행복한 사람은 그것이 없으면 불행할 수 밖에 없다고 선언하는 꼴이기 때문입니다.

실제로 마음을 닦아나가다 보면, 행복은 외부조건에 달린 것이 아니라 내 내면이 현재 얼마나 욕심이 없고 현재에 만족하며, 부정적인 감정이나 신념이 없고 즉, 얼마나 고요한지에 달려있다는 것을 경험할 수 있기 때문입니다.

91.그 사람 나름의 타당한 이유

사람이 어떤 말과 행동을 하는데에는 그 사람 입장에서 보면 타당해보이는 나름의 이유가 다 있습니다. 그 이유를 모르는 데에서, 오해, 미움 등이 생기는 경향이 있습니다. 그렇기 때문에, 어떤 사람의 언행이 이해되지 않더라도 '나름 이유가 있겠지'의 태도를 견지하시면서, 내 판단을 거두시기 바랍니다. 판단을 내리는 순간 나는 어리석음에 빠집니다. 판단은 신에게 맡기십시오. '나는 알지 못함'의 태도가 실제로 더 큰 평화를 가져옵니다. 직접 경험해 보십시오.

92.잘못이 아닌 어리석음

우리가 악이라고 부르는 것들을 잘못이 아닌 어리석음으로 보고, 비난하기 보다는 연민을 가집시오. 이런 태도가 자신에게는 물론이고 세상에까지 훨씬 이롭습니다. 참고로 연민을 가지고도 범죄자를 감옥에 격리시킬 수 있습니다.
다른 사람들을 보호하고 범죄자들이 악행을 저지름으로써 업보를 쌓는 것을 방지하려는 사랑에서 그렇게 할 수 있습니다.

93.두 발짝 나아가고 한 발짝 후퇴

한 발짝 내딛고 넘어지고, 다시 넘어지고 또 넘어지고, 한 발짝 내딛고 다시 넘어집니다. 마음의 성숙은 이런 식으로 이루어지는 것 같습니다.

94.너의 눈빛, 나의 마음

나를 향한 나의 눈빛이
너의 눈빛 위에 드리워져
너를 오해했어.

나는 너가 나를 그렇게 보는줄 알았지
내 눈빛이 비춰지는 것인줄 몰랐지...

이 문구는 내면의 투사를 말합니다. 우리는 우리 내면의 마음을 바깥으로 투사해 남이 그렇게 생각하고 있다고 생각하는 경향이 있습니다. 사실은 내 생각인데 말입니다.

95.있는 그대로의 나

부족한 나 자신을 있는 그대로 받아들이며 사랑합니다. 완벽하지 않아도 괜찮습니다. 받아들일 수 없다면 그 이유를 쭉 적어보시고, 감정자유기법을 통해 해소하십시오. 제가 알기로 이것이 가장 빠른 길입니다. 그래서 추천드립니다.

96.영혼의 언어

감정의 깊은 울림, 이것은 때때로 영혼이 우리에게 건네는 속삭임입니다. 감정은 영혼, 무의식의 언어입니다.

97.타인에 대한 경멸

타인에 대한 지나친 경멸은 때때로 자신 내면의 열등감, 그것에 대한 부러움을 반영합니다.

98.내면에서 일어나는 전쟁의 뿌리

내 내면에서 끊임없이 벌어지는 그 사람과의 다툼, 그 사람에 대한, 나 자신에 대한 후회 등은 해결되지 않고 쌓여있는 감정이 있다는 것을 나타냅니다. 이 감정이 해결되지 않는 한 고통스러운 이미지, 목소리들은 계속해서 올라옵니다. 생각은 해소되지 않은 감정 때문에 계속 일어납니다. 친구와 싸우고 집에 왔을 때 내면에서 끊임없이 올라오는 생각을 경험한 적이 있을 것입니다.

생각을 합리적으로, 긍정적으로 바꾸려는 노력은 효과가 낮습니다. 감정을 우선적으로 해소하면, 생각(인지)은 저절로 바뀝니다. 감정을 먼저 해소하려 노력하십시오.

99.음식 가려먹기

설탕, 인공감미료, 트랜스지방, 술, 카페인이 함유된 식품을 과

다 섭취시

우울감, 무기력, 피로함 등이 올 확률이 높다고 합니다. 제가 몸소 체험해보니 사실인 것 같습니다. 스스로의 경험을 되돌아보시고 음식을 가려드시길 권해드립니다.

100.육체 돌보기

정신건강을 위해 하루에 땀나는 운동을 30분 이상 하고, 7시간 이상 자고 균형잡힌 식사를 하고 영양제를 먹고 마음공부를 하십시오. 골고루 다 하시고 육체적인 요소를 절대 무시하지 마십시오. 육체와 정신은 상호작용합니다.

101.무조건적 사랑

가슴에서 흘러나오는 무조건적 사랑은 상대의 조건을 따지지 않으며, 나에게 얼마나 이득이 있을지 또는 일이 어려울지 쉬울지 고민하지 않습니다.

102.인생에 바라는 것이 적어지길 소망하십시오

당신이 마음의 평안을 목표로 하고 있다면, 부자가 되기보다는 인생에 바라는 것이 적어지길 소망하십시오. 욕망하던 A를 달성하면 뒤따르는 것은 곧 또 다른 욕망인 B입니다.

'나는 진실로 내 인생에 무엇이 최선인지 모른다'는 겸허한 자세로 욕망하는 것을 내려놓고 그것을 나보다 더 위대한 힘, 내 인생을 이끌어가는 진짜 힘, 큰 나, 하나님, 부처님 등께 맡기는 마음을 내십시오. 그리하여 내 에고, 생각, 분별이 텅 비어 미래에 대한 걱정없는 충만한 텅 빔의 힘으로 살아나가십시오.

103.마음공부는 자기에게만 적용하기

마음공부의 내용은 항상 자신에게 적용해야 합니다. '내가 지금 심란한 것은 내가 무엇인가 잘못 생각하고 있기 때문이다.' 이런 내용을 나 자신이 아닌 주변의 가까운 사람에게 적용해서 '지금 네가 기분이 나쁜 것은 니가 마음을 잘못먹어서야' 이런식으로 책임을 떠넘기거나 비난하게 되면 관계가 틀어지게 됩니다. 설사 이 말이 진실이더라도 상대방을 탓하거나 가르치려 하지 말고, 경청과 공감으로 우선 마음을 풀어주십시오.

저부터 항상 자기 마음을 우선 들여보고 공부 내용을 내 마음에만 적용하는 성숙한 사람이 되길 소망해봅니다.

104.우월감과 열등감

나보다 부와 명예를 많이 가진 사람에 대한 열등감과 나보다 그것을 적게 가진 사람에 대한 우월감은 내가 그것을 가치있게 여기는 마음, 바라는 마음에서 비롯됩니다.

열등감과 우월감은 동전의 양면처럼 공존합니다. 어느 하나를 버리고 하나를 취할 수는 없습니다. 내가 그것을 소중히 여기는 한, 열등감과 우월감은 번갈아 드나들 것입니다. 이 두 가지 마음이 같은 것인 줄 알아 둘 다 지양하겠다는 마음을 먹으십시오.

105.자아상

타인에게 친절하게 대하여도 자아상 즉, 나에 대한 스스로의 생각, 믿음, 감정 등이 부정적이라면, 세상은 여전히 차갑고 공격적으로 느껴지게 됩니다. 기적수업에 나오는 말처럼 '나에 대한 공격적인 생각이 공격적인 세상을 보여준다'는 원리지요. 내 마음이 밖으로 투사되는 것입니다. 그래서 자아상에 대한 변화가 필요합니다. 쉽게 이해가 될 수 있도록 예를 들자면, 내 자신이 항상 부족하고 못났다는 신념을 마음에 품고 있는 사람에게는 이 믿음이 마음 밖으로 투사되어, '세상 사람들도 나를 부족하고 못나다고 생각할 것이다'라고 경험됩니다.

106.나에게 아무도 관심이 없는 것 같을 때

타인에게 무관심한 내 마음이 내가 세상을 둘러볼 때 나에게 무관심한 타인을 보이게 만듭니다. 타인에게 사랑의 마음을 품고 그들의 존재를 긍정하는 마음이 있을 때 세상을 둘러보면, 나에게 무관심한 사람들이 아니라 그저 자신의 삶을 묵묵히 살아가느라 다른 사람에게 신경 쓸 여력이 없는 사람들이 보이기 시작합니다. 그리고 그들이 사랑스럽게 보입니다.

107.병을 고치는 주체는

어느 고인이 말씀하시길 모든 병은 하나님(내면의 불성, 참나 등)이 고친다고 말씀하셨습니다. 환자, 의사, 병, 육체, 생각, 병원에 가고자 하는 의지, 낫고자 하는 의지 등 일체가 그 힘에 의해 발생됩니다. 아상 즉, 나라는 생각이 존재하는 한 자유의지가 있고 선택의 환상이 유지됩니다.

108.어려움을 겪을 때의 기도

어려움을 겪을 때 이 일을 해결해달라고 기도하는 대신, 이 일을 다르게 볼 수 있는 지혜를 달라고 기도하십시오. 이 일을 다르게 볼 수 있는, 지혜로운 마음의 위치에서는 어려움, 고난 또는 문제는 존재하지 않게 되고 전혀 다른 맥락으로 해석되기 때문입니다. 내 코앞에 벌어진 현상을 문제라고 못박는 한, 그것의 해결되고 못되고가 존재합니다. 문제가 해결되는 것이 자유가 아니라, 문제라고 보는 내 지각이 교정되어 내가 그것의 결과에 구애받지 않게 되는 것이 진정한 자유입니다.

109.경쟁자는 없습니다

고객을 위해 최선의 서비스를 제공하는데 집중하는 사람에게 경쟁자란 없습니다. 나보다 실력이 좋은 사람은 질투의 대상이 아닌 고객을 위한 더 나은 서비스를 위해 내가 무언가 배울 수 있는 고마운 사람입니다. 그리고 그는 사람들의 복지를 향상시키는

데 나와 같은 길을 가고 있는 동료로 인식되어 나는 나대로 최선을 다하면서 그를 질투하지 않고 진심으로 응원할 수 있게 됩니다. 그러니 금전적 이득이 아닌 사람들의 삶을 증진시키는데 일의 목적을 두십시오.

110.제도하려 하지 마라

깨달은 도인이신 백성욱 박사님께서는 다음과 같은 말씀을 생전에 하셨습니다. "마음 닦아 밝아지려고 하는 사람들은 남을 가르치려 하지 말라. 제도 하려고는 더더욱 하지 말라. 절을 짓고 단체를 만들려 하지 말라. 글을 써서 다른 사람에게 무엇을 알리려 하지 말라."

아마 박사님께서는 제자들이 아상(너와는 별개의 존재인 나라는 생각)을 키우게 될까 염려하셨던 것으로 생각됩니다.

111.용모보다 용심

우리는 점진적인 수행을 통해 마음 씀씀이가 한 사람의 삶을 좌지우지하는 핵심 요소임을 알게 됩니다. 외면보다 내면을 중시하는 태도가 개발되고 내면의 정화 수준에 따라 세상과 나를 보는 나의 지각이 온전해집니다. 또한 타인의 겉모습에 투사된 가치(외모, 지위, 부 등)가 점점 걷어지고 그것들의 매력은 감소하게 됩니다. 따라서 외면 보다는 그들의 마음 씀씀이를 보게 되지요.

수행이 조금 더 깊어지면 이제 타인이라는 것은 그저 개념이자 몸 동일시에 바탕을 둔 이미지이자 관념일 뿐이며 세상에는 오직 나(의식)만이 존재한다는 것을 알게 됩니다.

위 말은 꿈속의 관찰자를 생각해보면 쉽게 이해가 가실 것입니다. 꿈에서 깨고 나서 생각해보면 꿈의 주인공, 꿈속에서의 환경, 꿈속에서의 사람 전부다 나(자각)라는 스크린 위에 나타는 의식의 작용일 뿐입니다. 즉, 내가 꿈속의 어떤 주인공이 된 경험을 하면서 꿈속 세상을 살았지요. 꿈 속에서는 몸과 동일시 되어 있으므로, 꿈을 꿀 당시에는 '나는 오직 꿈을 꾸는 주체'라고 생각하고 환경과 사람들은 나와 별개라고 생각하지만, 사실 꿈속 주인공, 환경, 사람은 전부 한 마음의 작용이지 않나요? 진짜 나는 그 꿈 전체가 펼쳐지는 바탕 즉, 자각입니다. 의식이 꿈틀거려 꿈속 주인공, 환경, 사람들이 '나'위에 나타나는 것입니다. 의식이 잠재되어 있으면 어떠한 경험조차 할 수 없습니다. 심지어 내가 존재한다는 사실 자체도 알지 못합니다. 그런데 나는 몸과 동일시 되어 꿈속 주인공을 나라고 생각합니다.

지금까지 드린 얘기는 꿈에서 깬 생시의 세계에도 그대로 적용됩니다. 꿈과 생시가 있는 것이 아니라 꿈과 생시라는 꿈이 있을 뿐입니다. 이것을 머리로 이해하는 것에는 한계가 있고 수행이 깊어지면 직접 체험으로 이것을 알게됩니다. 곰곰이 곱씹어 보시기 바랍니다.

112.가난과 외로움을 벗어나려면

가난은 궁한 마음, 공짜 좋아하는 마음, 바라는 마음에서 비롯되고, 외로움은 남을 배척하는 마음, 꾸짖는 마음에서 비롯됩니다. 그러니 가난에서 벗어나려면, 대가 없이 베푸는 마음을 연습하고 바라는 마음을 바치십시오. 또한 외로움에서 벗어나려면, 남의 허물대신 좋은 점만을 보려하시고 비난이나 판단대신 이해와 연민으로 조건 없이 사랑하는 마음을 연습하십시오.

113.내 마음 씀씀이

마음공부하는 사람이라면 세상을 탓하기 보다 이렇게 질문하고 내면을 살펴보십시오. "내 안의 어떤 마음씀씀이가 이런 현실을 보여주는가?". 나에게 펼쳐지는 세상은 내 무의식의 발현입니다. 과거생생 지은 인연이 무의식에 저장되어 있고 그것이 발현됩니다. 제가 이해하고 믿는 바로는 내가 지은 인연의 과보는 피할 수가 없습니다. 하지만 한 편으로는 어떤 기도나 독경 등 마음공부를 통해 내가 지은 인연의 과보를 약하게 받을 수 있는 것 같기도 합니다. 확실한 것은 세상에서 벌어지는 소위 역경을 내 무의식의 발현이라고 보는 태도는 그 상황에서 벗어나 평화로 가는 길에서 나에게 힘을 불어넣어준다는 것입니다. '어떤 고난이 마음 밖에 분명히 있고, 나는 그 피해자다'라는 태도는 나를 취약하게 만듭니다. 모든 것의 원인을 내가 지었다라고 보는 태도라야, 내가 그것에서 빠져나올 수 있는 힘이 생깁니다.

114.화약과 방아쇠

다른 사람이 나를 무시하는 말을 하는데 어떻게 화를 안내냐고 반문하며 화를 내는 것은 당연하다라고 얘기할지도 모르겠습니다. 그러나, 내 마음속에 화내는 마음, 분노하는 마음 또는 미안한 마음(진심)이 없고 나 잘났다는, 어리석은 마음(치심)이 없으면 상대가 어떤 말을 하던 내면에서 화가 일어나지 않습니다.

상대의 말은 그저 방아쇠일 뿐이며 화약은 내 마음속에 있는 분노인 것입니다. 우리 마음 밖의 것을 바꾸는 것은 일시적이고 더 어렵지만, 마음을 다스리는 것은 그 효과가 영구적이고 더 쉽습니다.

115.도인이라면

도인이라면 마음을 잘못먹어 괴로운 세상을 경험하고 있는 사람을 보고 '니가 마음을 잘못먹어 괴로운거다' 라며 진심(성내는 마음)을 내지 않았을 것입니다. 그저 그를 자신 내면의 표현으로 보고 그에게 따뜻하게 대하며 그가 낸 마음의 내용들을 자기 마음속에서 찾고 그저 그 마음을 바치는데 집중했을 것입니다.

문제가 생기면 여전히 밖에서 원인을 찾으려는 습관이 남아있어도 남 탓, 환경 탓하지 않고 나를 돌아보는 것을 계속 연습해나갑니다.

116.나는 나설 가치가 없다는 태도

영성, 마음공부라는 분야에 관심이 있는 저는 과거 한때 이렇게 생각했습니다. '나는 내가 하려는 일에서 최고도 아니고 나만의 독창성도 없어. 그러니까 나는 사람들 앞에 나설 가치가 없어' 하지만 이젠 압니다. 이런 생각 1등 주의, 완벽주의적인 태도의 소산이며, 자기 자신에 대한 사랑과 있는 그대로의 받아들임이 없다는 사실을요.

우리의 삶을 타인에 대한 봉사로 받아들일 때, 삶에 대한 전반적인 관점이 변합니다. 뛰어나지 않아도 괜찮아집니다. 한 사람이 모든 분야에 관심을 갖기 어렵습니다. 사람은 각자 자기가 관심있는 분야가 있습니다. 다른 사람들이 관심을 갖지 않는 분야에서 각자가 능력껏 나눌 수 있는 것들을 나눔으로써 우리는 세상의 복지에 기여합니다.

117.롤 모델을 존경하는 마음

당신에게 어떤 목표가 있다면 그것을 이미 달성한 모델을 찾으십시오. 그리고 그 사람들을 존경하는 마음을 내십시오. 우리는 때때로 그들과 우리 자신을 비교하며 시기, 질투, 한탄, 좌절에 빠지기도 하지만, 이는 우리를 목표에서 더 멀어지게 할 뿐입니다.

존경하는 마음, 그들을 기꺼이 배우려는 마음에서, 내면에서 보다 높은 긍정적인 에너지가 느껴지기 시작합니다. 그리하여 마치 부력을 통해 배가 저절로 띄워지듯, 우리는 목표를 향해 보다 수월하게 가까워집니다.

118.가슴에서 우러나오는 사랑

　욕망에서 취한 것은 얻고 나면 그 투사된 매력이 급격히 감소합니다. 즉, 원하던 것을 손에 넣은 뒤로 그것에 대한 관심이 금새 시들해지는 것을 누구나 경험해 보았을 것입니다.

　욕망에 의해 누군가와 연애를 시작할 때 어느 정도 시간이 지나면 무관심해지기 쉽습니다. 연애 관계를 부드럽게 잘 이어나가기 위해서는 상대에 대한 자연스러운 관심과 배려가 지속적으로 이어져야 하는데, 이는 욕망의 수준에서는 힘들고 성가시게 느껴집니다.

　가슴에서 느껴지는 사랑의 힘은 이를 수월하게 하는데, 이 수준에서는 타인의 겉모습과는 상관없이 그를 사랑하는 것이 가능합니다. 이는 끊임없이 샘솟는 샘물과 같이 내면에서 사랑이 흘러나오기 때문입니다. 이는 가슴에서 자연스럽게 느껴지는 사랑의 힘입니다.

　보통 우리가 남녀의 사랑을 떠올리면 내 욕망을 충족시켜주는 특정인에 대한 베타적이고 독점적인 사랑의 느낌을 떠올립니다. 그러나 가슴에서 느껴지는 무조건적인 사랑은 인류 전체 또는 모든 사람에게 적용될 수 있는 일반적인 사랑을 의미합니다. 이 수준에 있는 사람이 어떤 사람과 관계를 맺고 있다면, 그것은 그 사람을 독점적이고 베타적으로 사랑해서가 아니라 일반적이고 아가폐적인 사랑을 하지만 인연에 따라 그 사람과 관계 맺어졌을 것입니다.

비록 환상이기는 하지만 '나라는 느낌'으로 느껴지는 의식은 몸을 넘어 우주 전체로 확대될 수 있는데, 대상에 대한 개념(관념)이 옅어질수록 또 '몸이 나다'하는 관념이 옅어질수록 '모든 대상이 곧 나'라는 것이 체험되기 시작합니다. 이런 앎에서 타인은 육체성을 넘어 '존재감으로서의 나 자신'으로서 체험됩니다. 즉, 타인이라는 관념 자체가 옅어집니다. 그래서 나와 남의 구분이 결국 사라지게 됩니다. 이 같은 연유로, 가슴에서 흘러나오는 사랑은 우주의 모든 존재를 나로 보며 그것들을 감싸 안습니다.

하지만, 몸과의 동일시에 빠지면 욕망으로서의, 집착으로서의, 소유로서의 사랑을 하게 되고 필연적으로 욕망은 항상 충족될 수는 없기에 실망과 원망이 뒤따르게 되고 괴로움을 겪습니다.

119.열등감, 질투심이 들 때

어떤 사람을 보고 열등감, 질투심이 든다면 이렇게 기도해 보고 마음이 어떻게 변하나 체험 보십시오.

(부처님에 대한 공경심이 있을 때) "이 사람과 관련된 모든 사람들이

그가 하는 일, 가지고 있는 소유물 등을 통해 부처님 기쁘게 해 드리길 발원"

(존경하는 이가 딱히 없을 때)"이 사람이 하는 일, 가지고 있는

소유물 등을 통해 모든 사람들이 마음의 평화를 찾고 행복해지길 발원"

120.엄격한 절제와 철저한 수행

깨달음을 위한 여정에서 어느 때는 엄격한 절제와 철저한 수행이 필요한 때가 있는 것 같습니다. 하지만, 어느 때라도 나 자신에게 지나치게 가혹하게 한다거나 좌절, 죄책감, 자기혐오에 빠지는 것은 바람직하지 않습니다.

실수한 것처럼 느껴질 때도 스스로를 용서하고 사랑하고 있는 그대로 받아들일 수 있도록 해보세요. 이런 따뜻한 태도가 앞으로 나아가는데 오히려 더 도움이 되지, 스스로를 가혹하게 채찍질하는 것은 바람직하지 않습니다.

실수한 자신에 대해서 자책하는 태도 밑에는 '나는 실수하면 안되는 사람이야'라는 비현실적인 기대가 있습니다. 또한, '왜 실수하면 안되는데?'라고 스스로에게 질문해보면, 실수하면 버림받는 것에 대한 두려움을 발견할 수도 있습니다. 그러면 이 두려움을 해소하는데 집중하면 되겠습니다.

결론적으로 그 이유가 뭐가 되었든, 실수한 대상에 대해 그것이 자기 자신이건 남이건 간에 사랑으로 포용하려는 자세를 기억해주세요.

121.지루한 마음

지루하다는 것은 진심 즉, 화내는 마음의 **일종인데** 이 진심을 자꾸 바치고 비워내다 보면 금강경을 읽는 것이 지루하지 않고 오히려 읽을수록 마음이 안정되고 환희심(기쁨)이 느껴지는 것을 체험할 수 있습니다.

이 원리는 금강경 독송뿐만 아니라 일이나 학업에도 동일하게 적용됩니다. 요지는 마음이 잠잠해지면 더 이상 바깥의 지루한 일 같은 건 애초에 존재하지 않았고 문제는 내 마음이었단 걸 알 수 있다는 것입니다.

122.비난하기 보다는

비난하기 보다 이해하고 연민으로 바라보길 선택하는 것이 자신에게 이롭습니다. 이는 다른 사람의 행실뿐만 아니라 내 마음의 여러 양상에도 해당됩니다.

의식의 장에 떠오르는 모든 생각, 감정에 대해 자책, 비난보다는 이해와 연민의 마음을 내는 것입니다. 특히 부정적인 생각, 감정이 올라오면 이렇게 기도해보세요. "나의 내면에 올라오고 있는 이런 마음으로 인해 고통받는 모든 존재들이, 이 마음 해탈하여 평온해지길 발원". 기도할 때 꼭 눈을 감을 필요도 없고, 손을 모을 필요도 없습니다. 그냥 이런 마음을 내면 됩니다. 이렇게 기도하면 의식 수준이 부정적인 생각, 감정에서 순식간에 사랑의 수준으로 올라가기 때문에 부정적인 생각, 감정 때문에 괴롭지 않게 됩니다. 직접 한 번 해보시고 즉각적인 마음의 평화를 경험해보세요. 대신 진심으로, 간절하게 기도하셔야 합니다.

123.좋고 싫은 것을 분별하는 것

다른 사람보다 좋은 성적을 받았다고, 다른 사람을 제치고 승진했다고, 돈을 더 많이 벌었다고 또는 승리했다고 착각해 내적으로 은근히 만족하는 태도가 당연히 내가 누려야 할 기쁨이고 행복인 줄 알았는데, 이런 태도가 실제로는 내 행복에 독으로 작용한다는 것을 알지 못했습니다. 마음공부하기 전까지는요.

나와 타인을 '구별'하고, '차이'와 계급을 두며, 우월과 열등을 '분별'하고 좋고 싫은 것을 나누는 것은, 좋은 쪽에 있을 때는 순간의 달콤함에 취할 수 있을지는 모르지만 반대쪽으로 갈 땐 심한 숙취를 불러옵니다.

우월감을 바탕에 둔, 다른 사람을 무시하는 마음이 때가 되면 나를 향한 세상의 무시하는 눈빛으로 투사되어 나에게 돌아옵니다. 즉, 우월감과 열등감은 동전의 양면처럼 항상 함께 존재합니다. 어떤 사람의 마음에 우월감이 느껴진다면, 더 깊은 속마음 한 켠엔 반드시 열등감이 존재합니다. 열등감이 없으면 우월감도 없고 뽐내려고도 하지 않습니다.

어떤 특정한 것을 편애하는 태도 역시 마찬가지입니다. 그저 인연이 되어 그렇게 된것이고 그것이 일시적이라는 것을 아는 것, 그리고 승리감에 도취되기 보다 감사하는 태도가 실제로는 더 유익하고 평화를 가져옵니다.

124.외로움

　외로움은 마음에 타인에 대한 사랑이 충분하지 않아서 생깁니다. 타인은 신경쓰지 않고 나에게만 이익이 되면 된다는 마음을 품던지(탐심), 타인이 자신의 기대에 맞지 않는다며 화를 내던지(진심), 타인과 나는 다르다며 깔보는 마음을 내던지(치심) 하는 마음이 이기심 즉, 자신 밖에 모르는 마음이고, 이런 마음에는 고립감이 뒤따릅니다.

　'나'에게 몰두하면 아상 즉, 나라는 관념이 커지게 되고 그만큼 다른 사람과의 연결감이 감소합니다. 한 마디로 가슴에서 사랑이 발현되기 어렵습니다.

　수업이 끝나고 얼른 집에가서 쉬고싶다는 마음을 놓아버리고, 동료들의 귓갓길이 평온하기를 바라면서 집에 가시는 분들께 일일이 인사를 해드렸습니다. 그러자 집에 돌아가는 길이 외롭지 않았습니다.

　어렸을 때부터 외로움을 자주 느낀걸 보면 이는 전생부터 연습한 마음 씀씀이로 보이는데, 그땐 잘 몰랐나 봅니다. 그때 그 용심이(마음 씀씀이가) 외로움을 자초했단 걸.

　상처받고 싶지 않다는 두려움 또는 그 외의 두려움 등을 사랑으로 감싸안지 못하고 회피하려는 마음이, 사람들을 멀리하려는 마음을 초래하는 것 같습니다. 내 마음에 상처가 있어 사람들을 멀리하는 것이라면 결국 이것을 다루어 해소하기 전까지는 타인과의 연결감을 느끼고 외로움을 극복하는 것은 쉽지 않아 보입니다.

125.상처받지 않는 마음

어떤 사람을 그저 조건없이 사랑하면 그 사람이 누리고 있는 것이나 하는 행동에 상관없이 그를 우러러보거나 열등감을 느끼지 않고 그저 그가 사랑스러워 보입니다. 세상에선 악으로 보는 것도 무지의 소치로 보이며 그의 무지에 대한 연민의 마음이 일어납니다.

이런 상태에 있으면 사실상 마음은 일상적으로 일어나는 일에 상처받기 어렵게 됩니다.

126.크게 성장하고 싶다면

크게 성장하고 싶다면 내면의 한, 미해결된 핵심 감정이나 신념부터 처리하시기 바랍니다. EFT 즉, 감정자유기법을 공부해서 이것을 처리해보세요.

127.발목의 쇳덩어리

어떤 사람처럼 되고 싶다면 그 사람에 대한 열등감이나 질투심을 해소하고 그를 존경하는 마음을 품으십시오. 이것이 그가 있는 에너지장에 편승하여 현실을 창조하기 위한 쉽고 빠른 길입니다.

질투심이 있는 한 배우고 성장하긴 어려운데, 이는 발목에 부정적인 에너지장이라는 쇳덩어리를 달고 뛰는 것과 같기 때문입니다.

128.소원을 성취하려면

소원을 성취하려면 그 상태가 된 것을 상상하지 못하게 방해하는 모든 요소 즉, 부정적인 생각이나 감정들을 모두 해소한 후 그 상태에서 느낄 수 있는 긍정적인 생각이나 감정을 잠재의식 수준에서까지 감응되게 하면 됩니다.

예를 들어, 시험에서 고득점 하는 것을 원한다면, 내면에 있을 수 있는 '나는 머리가 안좋아서 안될거야', '난 자격이 없어' 등과 같은 요소들을 해소하고, 고득점 했을 때의 성취감이나 '고득점 할 수 있다'는 자신감을 확실하게 느끼고 그 모습을 상상할 수 있으면 됩니다.

이런식으로 우리가 원하는 삶을 창조할 수 있기 때문에 항상 '나는 어떤 삶을 살고 싶은가', '지금 나는 그런 삶을 살고 있는가'를 스스로에게 물어보십시오.

129.소원을 성취하는 것 보다

내가 원하는 소원을 성취하는 삶보다는 나의 바람을 모두 부처님이나 하느님 또는 초월적인 어떤 힘에 맡겨 내려놓고, 그저 일들이 이루어지는 대로 저항하지 않고 사는 삶이 더 뛰어나다고 생각합니다. 이렇게 산다고 해서 삶이 막 흘러가지 않습니다. 오히려 이런 삶의 방식은 매우 능동적인 삶의 방식입니다.

보통 우리는 우리가 원하는 어떤 목표를 지독하게 고집하고 그것이 이루어지기를 기대하면서 살아가지만 그것이 이루어지지 않을 때는 좌절합니다. 하지만, 내가 기대한 인생의 한 길이 닫히면, 다른 그것을 담담히 받아들이고 다른 길을 찾으면 됩니다. 만약 내가 그 길을 포기하고 싶지 않다는 마음이 든다면, 좌절감 없이 그것을 해나갈 방법을 찾으면 됩니다.

삶에 나타나는 결과, 그것이 성공처럼 보이든 실패처럼 보이든 담담히 받아들이고 다음 스텝을 딛고자 하는 마음이 바로 일들이 이루어지는 대로 저항하지 않고 사는 삶 입니다.

그리고 마지막으로는 어떠한 삶의 방식이 더 뛰어나다는 분별조차 내려놓고 그저 존재합니다.

원하는 것이 없는 마음의 상태가 최고의 행복입니다. 다들 뭔가 하고 싶은게 있는데 못해서 안달이고 괴롭습니다.

130.인연이 되는 사람만 만난다

인간관계는 카르마의 목적을 이루기 위해 모이고 그 목적이 다하면 흩어집니다. 인연이 되는 사람과만 만나게 된다는 말이 있습니다. 우리가 이 관계가 얼마나 오래 지속되길 원하는 가와는 무관하게 인연에 따라 만남이 지속됩니다. 인연이 다 할 때, 이 관계를 그만두고 싶다는 마음이 드는 작용으로 또는 어떤 주위의 환경적인 요소로 인해 인연의 흩어짐이 나타날 수 있다는 것을 고려해야 합니다.

그렇기 때문에 인간관계에 집착하지 마시기 바랍니다.

131.수치심과 죄책감의 바탕

수치심, 죄책감 등의 소위 부정적 감정의 바탕에는 몸, 마음과의 동일시가 있습니다. '난 그러지 말아야 했어', '내가 그런 생각을 했다니! 쪽팔려' 이런 마음과 탈동일시가 일어나는 순간 우리는 실수, 죄라고 하는 것들을 '(불완전한 한 인간으로서)그럴 수도 있다'는 너그러움으로 바라볼 수 있게 되고 지난 날의 스스로를 용납하지 못하는 태도는 지나친 자기애 즉, '나는 완벽한 사람이어야 해'라는 태도의 반영임을 통찰합니다.

더 깊이 들어가 보았을 때, 수치심과 죄책감은 태아기 때 트라우마의 반영일 수 있습니다. 수치심은 어머니로부터 충분한 사랑과 지지를 받지 못해, '나는 보잘 것 없는 존재야, 엄마도 나에게 신경을 안썼는 걸'이라는 마음이 태아에게 무의식적으로 각인이 되어 나타난 결과일 수 있습니다.

죄책감 또한 '나는 엄마를 힘들게 하는 존재야, 나 때문에 엄마가 힘들어' 라고 태아가 믿게되어, 이런 마음이 바탕이 되어 지나친 죄책감을 갖게 되는 경우가 있습니다. 어린 아이들을 생각해보십시오. 어린 아이들은 부모가 싸우면 자기 때문인 줄 알고 자기 스스로를 자책합니다. 그래서 '엄마, 아빠 내가 말 잘들을게 싸우지마' 이렇게 말합니다.

그래서 일단 수치심과 죄책감이 문제가 된다고 생각한다면, 위에서 첫 번째로 말한대로 '나는 완벽한 사람이어야 돼'라는 마음이 내 속마음에 있는지 살펴보고, 이것을 좀 더 살펴 들어가 '왜 완벽한 사람이어야 될까?'라는 마음을 들여다 보면, '완벽하지 못하면 비난 받고, 버림 받고 혼자가 되는게 두려워'와 같은 마음들이 있는지 살펴보고 해소해나가야 합니다.

132.무조건적인 친절

다른 목적없이 순수하게 타인에게 친절하게 대하고 도우려는 마음을 내는것은 그 자체로 일차적 보상이 됩니다. 그런 높은 수준의 마음을 품는 것 자체로 마음이 훈훈하고 따뜻해지며 세상은 더 이상 생존 경쟁의 전쟁터로 보이지 않습니다.

상상으로라도 보시하고 남들을 돕는 것을 많이 하시기 바랍니다. 예를 들어, 저는 매 끼니마다 부처님과 그분의 제자들 그리고 병들고 아픈 분들에게 공양을 올리는 기도와 상상을 하고 식사를 합니다.

133.경험의 목적

대승기신론에 인연이 없는 것은 나에게 오지 않는다는 문구가 있습니다. 경험이든 사람이든 거부하면 계속 나에게 옵니다. 어떤 것을 거부하는 것 자체가 내 마음이 여전히 그것에 메여있다는 것을 반증합니다. 내가 그것을 초월했다면 나는 거기에 얽매이지 않으며 신경쓰지 않습니다. 그래서 어떤 것에 내가 메여있으면, 무의식의 수준에서 그것을 자꾸 끌어당기게 되고 그것은 내가 그것을 초월할 때까지 옵니다. 즉, 내가 그것을 무의식적으로 끌어당기고 있는 것입니다.

대승기신론에서 말하는 인연이라는 것도 다 내 마음이 짓는 것입니다. 예를 들면, 제가 책에서 읽은 것인데, 전생에 부자가 꼭 되고 싶다라는 마음(욕망)을 품으면 그런 한을 풀기 위해 다음 생이 필요하다고 합니다. 또한, 윤회의 원동력은 욕망(원)이라고 합니다.

134.비난하고 싶은 마음이 들 때

'저 사람은 어찌 저런 생각과 언행을 하나!' 하며 내 마음에 분노 등의 마음이 들 때, 그 사람을 비난하기보다는, 나의 내면에 저 사람과 같은 마음이 있지는 않은지 살펴봐야 합니다. 즉, 내가 인정하기 싫은 나의 모습 즉, 그림자로서 말입니다.

내면에 있는 것은 현실에서 보게되며, 내면에 없는 것은 현실에서 마주치지 않습니다. 또한 인류가 공통적으로 상속받은 마음의 내용물, 집단적인 무의식을 고려하고 그것에 대한 이해와 연민의 마음이 필요합니다.

135.자신이 못난 것을 받아들이면

자기가 못난 부분이 있다는 걸 알고 받아들이는 사람은 열등감이 없습니다. 자기가 못났는데 이를 인정하지 않고 잘나고 싶어하는 사람이 열등감을 경험합니다.

열등감은 존재 자체에 있는게 아니라 잘나고자 하는 생각에, 마음에 들지 않는 자신을 있는 그대로 받아들이지 않으려는 마음에서 비롯됩니다.

내가 처한 상황 때문이 아니라 그에 대한 감정, 생각 때문에 괴롭습니다.

내가 처한 상황 때문이 아니라 그에 대한 감정, 생각 때문에 괴롭습니다.

내가 처한 상황 때문이 아니라 그에 대한 감정, 생각 때문에 괴롭습니다. 중요해서 반복했습니다.

136.내면의 사랑 모드

내면의 아이(뿌리깊은 감정, 신념)를 공감하고 달래는 것을 잘하려면 내면의 사랑 모드를 개발하는 것이 필요합니다. 내면의 사랑 모드란 마치 부모가 어린 자식을 보는 것, 주인이 반려견을 보듯이 사랑스럽게 나의 생각 감정 등을 바라보는 것을 의미하는데, 사랑은 사실 우리 내면의 기본 속성입니다.

내면에서 부정성이 줄어들수록 긍정성이 도드라지게 되는데, 이 긍정성은 사랑을 바탕으로 합니다. 자신과 타인을 향한 내면의 사랑이 커질수록 수행을 잘 해나가고 있다고 보시면 됩니다.

137.고난이 약이다

제가 가진 상처에서 벗어나니 그 경험이 다 남을 진심으로 이해하고 도울 수 있는 재료가 됨을 발견했습니다. 그래서 그것을 겪음에 감사한 마음을 가지게 되었습니다.

상처에서 벗어나기 위해 조건없는 사랑의 화신이 되길 선택하십시오. 과거, 현재 그리고 미래의 나, 타인을 이해와 연민으로 받아들이는 사람은 상처받지 않게 됩니다. 심지어 나를 괴롭히고 미워하는 사람에게 조차도요.

138.내가 이 환경을 불러온 것이다

어렸을 적 주 양육자의 영향으로 부정적인 심리적 특성을 갖게 되었다며 스스로를 한탄하고 부모님을 원망하고 계신가요? 그런데 아상이 소멸되어 전생을 볼 줄 아는 도인은 이렇게 말씀을 하십니다.

과거 생에 해결되지 않은 나의 용심(마음 씀씀이, 심리적 특성)에 따라 부모와 성장 환경을 내가 택했고, 그래서 그 심리적 특성을 해탈시킬 수 있는, 극복할 수 있는 조건을 다시 한 번 내가 만든 것이라고요. 또한 과거 인연에 따라 부모, 자식, 배우자 등의 관계가 형성된다고 합니다.

이 말을 믿고 받아들이시면, 책임은 나에게 있고 문제처럼 보이는 이 상황을 변화시킬 수 있는 힘은 이제 나에게 있게 되는 것입니다. 남을 탓해서 얻을 것은 피해자가 되었다는데서 오는 은밀한 쾌감과 우월감 뿐입니다. 이런 것에 탐닉하는 한 약한 에너지를 가지게 됩니다. 부정적인 경향성을 나의 미해결 과제로 보고 주인의식을 갖고 변화하길 선택할 때 변화는 시작됩니다. 그리고 실제로 극복할 수 있습니다.

139.상대를 사랑한다는 것은

데이비드 호킨스 박사님이 말씀하셨습니다. 상대를 사랑하면 그의 운명을 지지한다고요. 그의 운명을 지지한다는 것은 상대의 언행이, 살아가는 방식이 내 마음에 들지 않더라도 그의 고유성을 인정해주고 받아들인다는 것을 의미합니다. 이게 말로는 쉬워보여도, 실제로 배우자나 가족 등 가까운 사람에게는 내 기대가 투영되기 때문에, 있는 그대로 받아들이기가 쉽지 않고 벌컥 짜증을 내기 십상입니다.

또한, 나에게 해를 끼치는 사람이라고 보여지는 상대를 온화한 자세를 유지하며 단호하게 피하는 것 또한 상대를 사랑하고 나를 보호하는 자세일 수 있겠습니다.

140.정말 남이 나를 미워해서 괴로운가

남이 나를 미워해서 내 마음이 심란한 것이 아니라, 그런 그들을 나도 미워하기 때문에 괴롭습니다. 남을 미워하는 이 마음이 부정적인, 낮은 에너지이기 때문에 그 에너지를 품고있는 내 마음이 괴롭습니다.

이와 같은 원리로 남이 잘되길 기도하면 그 잘되길 바라는 이타적인 마음을 품고있는 것이 자신이기에 자신이 먼저 잘 됩니다. 내가 잘되길 바라는 마음은 이기적인 마음이기에 에너지가 낮습니다. 진실에서 먼 생각과 감정일수록 에너지의 파동이 낮습니다. 낮은 에너지 파동은 생명에 반하며, 파괴적입니다. 그래서 나라는 개인적이고 독립적인 존재가 있고 따라서 타인과 남이 분리되어 있다는 생각에서 비롯된 이기적인 생각들은 그 에너지의 결과가 파괴적이고 어떤 지속적인 풍요를 산출해내기 어렵습니다.

진실에서는 우리는 분리되어 있지않고 하나이기 때문입니다. 분리라는 것은 몸과의 동일시에서 비롯된 관념입니다.

II.깨달음을 위한 지혜

: 명상, 마음 바치기, 원 세우기

*비슷한 내용이 말을 바꿔 계속 반복됩니다. 암기하려 하지 마세요. 그저 꾸준히 읽고 사색해 나가다 보면 가랑비에 옷 젖듯이 자연스레 내면에 흡수됩니다.

1.변하는 것과 변하지 않는 것

변하지 않는 것과 다함이 없는 것에 가치를 두는 삶을 살고자 할수록 마음이 편안해집니다. 돈은 생겼다가 사라지고 지위, 명예, 인간관계도 마찬가지입니다. 하지만, 내면에 있는 우리의 의식은 우리와 늘 함께합니다. 이 의식은 '내가 존재한다는 느낌 또는 앎'이라고도 볼 수 있는데, 이것에 늘 주의를 기울이면 생각도 잦아들어 마음이 고요해지면서 평온함이 느껴집니다.

인간으로서 우리 인생의 목적은 의식의 성장 또는 우리 영혼의 성장이라는 말이 있습니다. 우리가 이번 생을 마칠 때 가져갈 것은 무엇일까요? 재물, 명예, 지위, 관계 등 육체에서 비롯된 것들은 다 내려놓고 가야 합니다. 하지만 우리가 쌓은 공덕, 우리가 이룩한 의식의 성장, 바꿔 말하면 우리 마음속에 얼마나 사랑이 가득했는지는 죽어서도 가지고 가는 것입니다. 그렇기에 사는 동안 살아있는 모든 생명에게 친절하고 의식의 성장을 위해 자기 수행을 하는 것이 중요합니다.

2.알아차림

알아차림이 뭘까요? 알아차림은 현재 내 주위의 환경, 신체감각, 마음에서 느껴지는 생각이나 이미지, 감정 등에 대한 인식을 말합니다. 그중에서도 특히 내 마음에 대한 인식을 강조하고 싶습니다. 즉, 지금 내 마음이 행복하냐 괴로우냐, 괴롭다면 뭐 때문에 괴로우냐 등을 아는 것을 말합니다.

생각과 감정에 대한 알아차림이 중요한 이유는, 마음에 대한 알아차림이 강해질수록 내가 그 마음에 끌려다니며 괴로워하지 않을 수 있기 때문입니다. 예를 들어, 철수가 학교에서 친구와 다퉜다고 합시다. 철수는 집에 와서 공부를 하려고 하지만 자꾸 친구와 다툰 일이 떠올라 공부에 집중할 수 없습니다. 일어났던 일을 곱씹으면서 점점 더 화가 나고 억울합니다. 하지만, 여기서 만약에 철수가 본인 마음에 기민하게 깨어있으면 즉, 철수가 '아! 내가 지금 자꾸 학교에서 싸웠던 일을 곱씹고 있네! 그리고 지금 분노의 감정이 계속 올라오고 있구나!'라고 알아차리면, 앞에서 말한 것처럼 생각이나 감정에 끌려다니면서 그 생각과 감정을 증폭시키는 것이 아닌 소멸 시키는 길로 갈 수 있습니다. 생각은 미해결된 감정 때문에 계속 일어나고, 감정은 우리가 그것을 회피하기 때문에 억압되고 그것의 영향이 지속됩니다.

감정은 에너지라서 우리가 그것을 있는 그대로 알아차리고 받아들인다면 그 에너지가 소진되어 결국 사라지게 됩니다.

생각과 감정을 알아차리기만 해도 그 생각과 감정은 힘을 잃습니다. 그래서 순간순간 내 마음에 깨어있는 것이 매우 중요합니다. 정말 정말 중요합니다. 이것은 평화로 가는 '첫 발걸음'입니다. 내면의 괴로움을 회피하기 위해 유튜브나 게임, 술자리 등으로 도망가지 마세요. 도망가면 감정이 억압되어 나중에는 신체적, 정신적 질환으로 발병할 수 있습니다.

놓아버림 또는 EFT라는 방법을 통해서 부정적인 마음을 해결할 수도 있는데 이는 다른 장에서 설명하겠습니다.

3.생각과 감정에 대한 소유권 거두기

친구를 만나러 다 차려입고 집 밖을 나오는 순간 머릿속에서 '가스를 잠갔나?' 하는 생각이 문뜩 떠오릅니다. 이처럼 우리 마음을 잘 살펴보면 생각과 감정들이 어떠한 상황 또는 조건 즉, 인연에 따라 저절로 떠오른다는 것을 발견할 수 있습니다. 즉, 생각과 감정은 '내'가 떠올린 것이 아니라 '저절로' 나에게 떠오른 것입니다. 생각을 떠올린 '나'라는 주체가 있다는 생각은 착각입니다. 따라서 이것들에 대해 '내 것'이라는 소유권도 부여해서는 안됩니다. 이것은 마음을 잘 관찰해보면 이해가 가실 겁니다.

우리가 앞에 있는 탁자를 본다고 할 때, 우리는 이 탁자가 '내'가 아님을 압니다. 왜냐면 '내'가 '이' 탁자를 보고 있기 때문이죠. 즉, 탁자를 보는 나는 주체, 보이는 탁자는 객체입니다. 그리고 주체는 객체가 아닙니다. 이것을 몸과 마음(생각과 감정)에도 적용할 수 있습니다. 우리는 몸을 봅니다. 그리고 몸에 대해 말할 때도 '내 손', '내 다리', '내 얼굴'이라고 말합니다. 한 마디로 '나의 무엇'이 되는 것이죠. 그것이 곧 '나'는 아닌 겁니다. 오직 나의 신체에 대한 감각을 나만 느낄 수 있어도, '나의' 신체이지, 감각을 느낄 수 있다고 신체가 곧 나는 아닙니다. 내 신체가 마비된다면 또는 신체의 일부가 잘린다면 '나'라는 느낌이 사라지나요? 그건 아니지요. 지금 당장은 '나'라는 느낌(관념)이 신체 이미지 위에 덮어 씌워진 것이라고 암기하시면 되고 수행이 깊어지면 이것이 체험으로 다가올 것입니다.

소유라는 것도 일종의 관념입니다. 돈을 지불하고 물건을 사용하는 것 뿐인데, '이제 이것은 내 것이다'라는 관념을 마음 속에 품게 됩니다. 실제로는 인연에 따라 물건이 잠시 내 곁에 왔다가는 것 뿐인데도 말이죠. 실상에서는 내 것이라고 할 만한 것이 하나도 없습니다. 육체가 내 것이 아닌데 하물며 무엇을 내 것이라고 할 수 있겠습니까?

마음 즉, 생각과 감정에 대해서 살펴보면, '내가' 어떠어떠한 생각과 감정이 의식(의 장)에 떠오른 것을 안다고 말합니다. 나는 주체이고 떠오른 생각과 감정은 인식의 대상인 객체입니다. 그리고 '나라는 느낌'은 꿈 없는 깊은 잠을 잘 때나 마취나 혼절로 의식을 잃었을 때 빼고는 지속되지만, 생각과 감정은 비교적 잠시 일어났다 사라지며 끊임없이 변한다는 것을 우리는 체험으로 압니다. 따라서 생각과 감정은 '내'가 아닙니다. 그리고 생각과 감정은 '내 것'이라고 할 수도 없습니다.

계획이나 전략을 짤 때 또는 수학문제를 풀 때 우리가 적극적으로 생각을 하고 논리정연한 사고과정이 일어나기 때문에, 생각과 감정을 '내'가 떠올렸다고 말씀하실지도 모르겠습니다만, 이것은 데이비드 호킨스 박사님께서 말씀하신 것처럼, 우리의 에고가 생각이나 감정이 떠오르자마자 몇만 분의 1초 이후에 그것에 소유권을 부여해 '내가 그것을 떠올렸다'라고 주장하기 때문이라고 합니다.

'자, 지금부터 동물의 종류에 대해 떠올려봅시다. 사자, 호랑이, 코끼리, 염소 등등' 이렇게 말씀하시면서, '생각을 내가 떠올렸지 않냐?'라고 말씀하신다면, 저는 '자, 지금부터 동물의 종류를 떠올려보자'라고 말한 것에서부터 떠올린 동물들까지 그런 종류의 생각들이 인연에 따라 모두 저절로 떠오른 것일 뿐 그런 생각을 떠올린 주체가 있다는 것은 환상이다'라고 말씀드리겠습니다. 생각과 감정을 내가 떠올렸다고 할 때 이 '나'라는 느낌조차 하나의 관념에 불과하다는 것을 이해해야 하지만 이는 어느정도는 수행 기간이 필요하기 때문에 지금은 그냥 '생각은 내가 일으킨 것이 아니라 저절로 인연따라 떠오르는 것이다'라는 것을 이해하고 넘어가시면 되겠습니다.

4.의식 즉, '나라는 느낌', '내가 있다는 앎'

우리는 흔히 몸과 마음을 자기 자신으로 동일시하기 때문에 이 몸과 마음을 '나'라고 생각하고, '내'가 이 행동을 했고, '내'가 이 생각을 했고, 이 감정을 느꼈다라고 합니다. 하지만 눈앞에 손바닥을 펼쳐 보십시오. 이 손이 '나'입니까? 아니면 '내가 가진' 손입니까? 손목이 잘려 손이 저 앞에 떨어져 있다고 생각하면 저 손이 나입니까? 아닙니다. 다리 하나가 잘려 다리가 없어진다고 해서 '나'라는 느낌이 사라지나요? 아니죠. 우리가 '나', '나' 할 때의 그 '나'를 저는 '나라는 느낌'이라고 부릅니다. 신체의 일부가 사라져도, 이 '나라는 느낌'은 그대로 존재합니다. 이런 방식을 온몸에 적용해보면 이 몸은 '내'가 아니라는 것을 알 수 있습니다.

위의 방법을 적용하는 경우에 있어 '그럼 뇌는? 뇌가 우리의 본질 아니야?'라는 질문이 일어날 수 있습니다. 우리의 뇌가 잘못 되거나 우리가 꿈이 없는 깊은 잠을 자거나 의식을 잃을 때,'나라 는 느낌' 또는 '내가 있다는 느낌(앎)'이 사라집니다. 그래서 자신 이 존재한다는 것을 알지 못하게 됩니다. 즉, 의식이 없으면 내 자신이 존재한다는 것을 모르게 됩니다. 의식이 활성화(발현) 되 면 내 자신이 존재한다는 것을 알 수 있게 되는 것입니다. 다른 말로, 나는 의식의 도움 없이는 내가 존재한다는 것을 알지 못합 니다. 자, 궁극적으로 나는 의식이 아닙니다. 나는 의식을 아는 자 입니다. 지금은 이것이 이해가 안될 수 있지만, 일단은 나는 의식 이 아니라 '의식을 아는자'라는 것을 읽고만 넘어갑시다. 뒤에서 자세히 설명할 것입니다.

다시 의식으로 돌아오면, '나라는 느낌 그 자체'가 바로 우리가 '나', '나의', '내가'라고 할 때 그 '나'의 정체라는 것을 알 수 있습 니다. 또한 우리는 이 '나라는 느낌' 또는 '내가 있다는 앎' 자체 를 의식이라고 부를 수 있습니다. 보통의 우리에게 이 의식은 몸, 마음과 동일시 되어있는 의식입니다. 그래서 사람들은 몸이나 마 음을 '나'라고 합니다.

의식이 잠재된, 꿈이 없는 깊은 잠의 상태를 생각해보십시오. 그때 '나'라는 느낌이 있나요? 없죠. 내가 존재한다는 앎조차 없 습니다. 의식이 꿈틀거리는, 의식이 조금 깨어난 상태인 꿈을 생 각해 보십시오. 꿈에서는 꿈을 꾸는 주체인 '나', '나라는 느낌'이 있습니다. 즉, '내가 있다는 앎'이 있는 겁니다. 이렇게 의식의 출 현(발현)과 함께 '나라는 느낌'이 생겨납니다. 그래서 저는 의식을

'나라는 느낌', '내가 존재한다는 느낌'이라고 이해하시면 된다고 말씀드립니다. 꿈과 꿈을 깬 상태에서의 연속성이 단 하나 있다면 그것은 바로 이 '내가 있다는 느낌', 의식 그 자체입니다.

정리하면, 몸이 내가 아니라 이 '나라는 느낌' 자체가 우리가 흔히 '나'라고 할 때의 '나'의 정체이고 이것은 의식이라고 부를 수 있습니다. 이 '내가 있다는 앎'이 몸 위에 그리고 마음 위에 덧씌워져서 즉, 의식이 몸, 마음과 동일시되어서 몸, 마음을 '나'의 정체로 착각하는 것입니다. 무언가와 동일시된 의식을 에고라고 합니다. 몸, 생각, 감정은 의식이 인지하는 대상인 객체입니다. 만약 의식이 무엇과의 동일시를 벗어나 단지 의식 자체로서 존재하면 그때는 순수의식 상태라고 하는데, 이 순수의식 상태를 본래면목, 참나, 진아, 불성, 하느님, 신이라고 합니다.

우리가 편의상 사람들과 대화할 땐 '내 마음', '내 생각', '내 몸'이라고 하지만, 사실은 이 감정, 이 생각, 이 몸이라고 불러야 맞습니다.

몸, 마음과의 동일시가 강력하게 되어있을수록 업(습관)에 따라 생각과 감정이 올라올 때 괴로워집니다. 동일시가 덜 되어 있을수록 그저 '아, 우울함의 감정이 올라오는구나' 또는 '부정적인 생각이 올라오는구나' 이렇게 알아차리며 마음과 한 발짝 떨어져 의연하게 그것을 지켜볼 수 있게 됩니다. 그러면서 생각을 바치거나 감정을 놓아버림(흘려보냄)으로써 이것들에 휘둘리지 않고 마음의 변화에 점점 더 초연해지게 됩니다.

5.궁극의 행복을 위한 길 : 깨달음

저는 이상과 현실 사이의 괴리로 인해 괴로움에 몸부림치다 진정으로 행복해지는 길이 무엇일까 찾아 헤맸습니다. 그러다가 발견한 길이 깨달음이라는 것입니다. 제가 이해하기로 깨달음이란, 의식이 몸, 마음과의 동일시를 끝내고 온전히 그것 자체(존재의 느낌)에 대한 '인식' 상태로 존재하는 것이며, 우리가 흔히 얘기하는 '나'라는 것 즉, 에고가(아상이) 존재하지 않는 허상이라는 것을 확연히 깨달은 경지입니다. 바꿔 말하면, 우리의 진정한 정체는 '의식을 아는 자'이고, 몸이 존재하는 동안 의식에 주의를 고정해 상락아정의 상태로 존재하는 것입니다. 의식은 '내가 있다는 느낌'이며, 이 내가 있다는 느낌이 소위 말하는 '아상'입니다. 아상이 소멸되면 '나'라는 것은 사라지고 '존재한다는 느낌'만이 있게 됩니다. 이 상태는 변하지 않고(상), 희열이 가슴에서 샘물처럼 솟아오르고(락), 진정한 우리의 모습이며(아), 고요함이 존재(정)하는 상태입니다.

제가 명상 중에 이 상태를 체험했지만, 이 경지에 확고히 자리잡은 것은 아닙니다. 깨달으신 스승님들은 이 상태에 확고히 자리잡으신 분들입니다. 저는 소위 말하는 깨달은 사람이 아니며 그저 부처님이 이르신 깨달음을 위해 수행하는, 아직 에고가 존재하는 한 사람일 뿐이라고 말씀드립니다.

이 경지에 확고히 자리잡으신, 완전히 깨달으신 분들의 말씀에 따르면, 깨달음이란 몸, 마음과의 동일시를 벗어 던지고 존재-의식-지복(Sat-Chit-Ananda, 상락아정과 동일)이라는 의식의 본래 상태를 회복하는 것인데, 이 경지는 심원한 평화와 지복이 가득하고 세상과 몸에 대한 의식은 없고 마음은 사라져 어떤 생각과 감정도 떠오르지 않는 상태입니다. 다만, 자신의 '존재감'을 '의식'하며 '지복'을 느끼는, 의식만이 지배적으로 드러난 깊은 평화로움의 상태입니다.

이 상태에 있는 사람은 겉보기에는 일반 사람들과 같이 생각하고 말하고 행동하는 것처럼 보이지만, 겉보기에만 그럴 뿐 이 사람은 세상이나 자신의 몸과 마음에 대한 지각은 없고 그저 의식만이 깨어있어, 존재감과 일체감만 느끼고 있는 것입니다. 이때 이 사람에게 주체와 객체라는 이원성은 없습니다.

깨달음의 경지에서 육체는 자신의 남은 운명에 따라 마치 태엽을 감아놓은 장난감 로봇처럼 저절로 움직이게 되며, 육체가 어떻게 움직이는지 잘 지각되지 않는다고 합니다. 왜냐하면 주의가 의식 그 자체에 집중되어 있기 때문에 몸을 포함한 세상이 지각되지 않기 때문이죠. 그래서 일반인처럼 잘 기능하기가 쉽지 않다고 합니다.

마음 작용이 소멸된 깨달음의 상태에서는 '나'라는 자아 관념과 시간관념 또한 사라집니다. 시간이라는 것은 우리 머릿속에서 과거와 현재 그리고 미래에 대상의 변화를 관념으로 연결지어 생각할 때 발생하는 하나의 허구 관념입니다. 실제가 아닌 것입니다.

정리하면, 이렇게 깨달음은 몸, 마음과의 동일시에서 벗어나 일차적으로 의식에 주의가 일관되게 가있는 상태이며, 더 나아가서는 자신이 그 의식이 아닌, 의식을 아는 자라는 것을 체험으로 아는 것입니다. 또한, 깨달음은 모든 괴로움과 번뇌를 벗어난 이상적인 상태입니다. 왜냐하면, 일차적으로 마음이 죽었기 때문에 괴로움이 올라오지 않기 때문입니다.

6.깨달음을 위한 수행

앞에서 몸과 마음이 '내'가 아닌 이유를, '주체는 그것이 인식할 수 있는 객체가 아니다'라는 원리를 통해 말씀드렸습니다. 이것을 머리로는 이해한다 해도, 이제까지 살아온 습관이 있어서 여전히 몸과 마음이 나라는 착각(=의식의 몸, 마음과의 동일시)이 지속됩니다. 그래서 이 착각을 깨기 위해 지속적인 수행(=의식의 몸, 마음과의 탈동일시 노력)이 필요합니다. 여기에는 두 가지 방법이 있는데, 첫 번째로, 몸과 마음이 나라는 신념에 바탕을 둔 모든 생각과 감정을 알아차릴 때마다 부처님께 바치는 것입니다. 두 번째로, 우리의 주의를 '나라는 느낌' 즉 의식 그 자체에 꾸준히 두는 연습을 하는 것입니다.

첫 번째 말씀드린 마음 바치기 수행에 대해 자세히 말씀드리겠습니다. 이 수행은 일상생활을 하면서 가급적 우리의 모든 생각, 감정을 부처님께 바치는 수행입니다. (자신의 종교에 따라 대상을 달리해도 좋습니다. 저는 불교신자라서 부처님께 바칩니다.) 우리가 평소에 하는 모든 생각들, 감정들이 우리가 몸이라는 가정하에 떠오른 것입니다. 몸, 마음 동일시를 벗어나 의식 그 넘어의 자리에 정체성이 확고히 고정되게 되면(=깨달은 상태), '내가 뭘 하겠다', '내가 어떤 사람이다' 이런 생각들이 환상이라는 것을 알게 되고 또한 마음이 죽어 생각이 떠오르지 않게 되는 것을 경험하시게 됩니다. 하지만, 우리는 아직 깨닫지 못했기 때문에 여러 생각들을 경험합니다.

한 번 생각해보세요. 우리가 가진 모든 문제는 다 우리가 몸이라는 가정하에 파생됩니다. 생각에 끌려가지 않고 그저 현재에 존재하면 심리적인 괴로움이 증폭되지 않게 됩니다. 그러면서 괴로움도 점점 줄어들게 되지요.

몸, 마음과의 탈동일시를 이루기 위한 두 번째 방법으로, 일상생활 중 자신의 주의(의식의 초점)는 '내가 있다는 느낌' 즉, 의식 그 자체에 두시면 됩니다. 의식이 의식에 집중하는 것입니다. 다르게 말하면 '나라는 느낌' 그 자체로 머무는 것입니다. 생각이나 환경에 마음이 끌려가지 않고 그저 존재하는 것입니다. 자신의 존재감에 주의를 집중하는 것입니다. 이렇게 말하면 어떤 집중해야 할 어떤 대상(나라는 느낌)이 있다고 생각해 수행 초기에는 내가 마음으로 그 느낌을 잡으려고 애쓰지만 그런 것이 아닙니다. 계속해 나가다 보면, '그저 내 자신으로 존재하는 것이구나, 그저 내 자신이 된다는 것이구나!' 하는 것을 경험하시게 됩니다. 즉, 나라는 느낌을 대상으로써 붙잡으려 하지말고, 그저 그 나라는 느낌으로 존재하세요. 그러면서 '이 내가 있다는 것을 나는 어떻게 아는가?' 이런 궁금증을 일으켜보세요. '나라는 느낌', '내가 있다는 앎'을 아는 주체가 바로 진정한 우리의 정체입니다. 이것은 눈이 눈을 볼 수 없는 것처럼, 자기 스스로는 자기를 인식할 수 없지만, 어떤 객체(대상)의 존재를 인식함으로써만 자신이 존재한다는 것을 알 수 있는 그런 원리입니다.

떠오르는 마음(생각과 감정)을 아는 주체는 '나'인데, 그럼 그 '나라는 느낌'을 아는 것은 무엇인가? 라고 생각해보면, 말이나 글로는 표현할 수 없는 그 자리가 바로 있다는 것을 경험으로 알 수 있습니다. 이 부분이 넘어가기 쉽지 않은 구간입니다.

마음공부를 시작할 때, 생각과 감정이 내가 아니라는 것은 쉽게 받아들입니다. 왜냐하면 그것이 수시 때때로 변하는 것이 쉽게 경험되니까요. 그런데, '나라는 느낌' 즉, 아상이 내가 아니라는 것은 쉽게 받아들이지 못합니다. 왜냐하면, 이 '나라는 느낌'은 꿈 없는 깊은 잠을 잘 때 빼고는 꿈에서도 존재하며, 생시 즉 깬 상태에서도 여일하게 이어지기 때문입니다. 우리가 3살 정도 때 스스로를 의식하기 시작한 때부터, 현재까지 이 '나라는 느낌' 즉, 의식은 변함없이 항상해 왔습니다. 물론, 기절하거나 꿈 없는 깊은 잠에서는 의식이 잠재되기 때문에 마치 끊어진 것처럼 보입니다.

어쨌든, 마음이 내가 아니라는 것을 받아들이고 의식을 경험으로 발견하면 처음에는 엄청난 희열감이 느껴집니다. '아 이 의식이 나구나, 나는 변하지 않는 의식이구나!' 그런데 여기가 끝이 아닙니다. 이 의식도 몸이 사라지면 결국엔 잠재되어 끝이 납니다. 게다가 그 '나라는 느낌'을 아는 것은 무엇인가요? 그 '내가 있다는 앎'을 아는 자가 바로 우리의 불성입니다. 이게 바로 우리가 안주해야 할 그 자리입니다.

의식(내가 존재한다는 앎)이 내가 아닌 이유에 대해 더 말씀드리겠습니다. 니사르가닷따 마하라지님의 말씀에 따르면, 엄마 뱃속에서 잉태되어 육체(유기체)가 충분히 성숙되면(3살 때쯤) 잠재되었던 의식이 발현됩니다. 그렇게 인간이 한 생애를 통해 음식을 섭취하고 그 섭취한 음식의 정수가 바로 의식인 것입니다. 나이들고 병들고 몸이 스러지면 의식은 다시 잠재된 형태로 돌아갑니다. 몸이 묻히거나 화장되어 재로 흩어지면 말입니다. 의식은 이렇게 원소에 잠재되어 있다가 적절히 조합되어 유기체가 되면 발현이 되는 성질을 가집니다.

의식이 발현되면, 2가지가 동시에 나타납니다. 바로 '나라는 느낌'과 세계가 펼쳐집니다. 꿈을 떠올려 보세요. 꿈이라는 것은 의식이 미세하게 꿈틀거려 펼쳐지는 것인데, 바로 '나라는 느낌' 그리고 세계가 펼쳐지는 것입니다. 이제 제가 중요한 질문을 던지겠습니다. 이 나라는 느낌 그리고 세계가 누구에게 펼쳐졌나요? 바로 주체인 '나'에게 입니다. 영화관에서 영사기와 빛이 스크린에 비춰지면 영화가 상영되는 것처럼, 바로 진정한 '나'로 비유될 수 있는 스크린에, 적절한 유기체로 인해 의식이 발현되면 영사기(카르마, 업)에서 빛(의식, 세계)이 나와 비추는 것입니다. 몸이 스러지면, 의식은 다시 잠재되고, 나는 내가 존재한다는 것을 모르는 상태로 됩니다. 의식은 세계가 출현하기 위한 필수요소입니다. 그리고 지금은 세계가 '나라는 느낌'과 별개인 것으로 경험되겠지만, 사실 이 둘은 하나입니다. 지금은 몸과 동일시 되어있기 때문에

'세계 속에 속한 나'와 '세계'는 별개라고 느껴지는 것입니다.

오직 나만 존재하던 상태에서는(비이원론) 나는 내가 존재하는지 몰랐습니다. 그러다 유기체가 이루어지고 잠재되어 있던 의식이 발현되면서 내가 존재한다는 것을 '알게' 되었습니다. 바로 의식 때문에 나는 내가 존재한다는 것을 알게 됩니다. 그러다 유기체가(몸이) 스러지면 의식은 잠재된 형태로 돌아가고 나는 내가 존재하는 것을 알지 못하게 되죠. 이것이 마하라지님의 의식과 우리의 본성의 핵심에 대한 설명입니다.

평소 우리가 꿈 없는 깊은 잠을 잘 때를 생각해보세요. 잠들기 전에는 의식이 깨어있으니까 내가 존재하는지 알지만, 꿈 없는 깊은 잠에서는 내가 존재하는지 조차도 알지 못하게 되죠?. 그렇다고 '내가 없다'라고 할 수 있던가요? 아니죠? 내가 있었지만, 내가 존재하는 줄 몰랐다가 더 정확한 말입니다.

적절히 조합된 유기체에서 의식이 발현된다고 말씀드렸습니다. 다르게 말하면 음식물들의 정수가 바로 의식이라고 이해하시면 됩니다. 빵이나 밥을 섭취해서 몸 속에서 적절하게 소화되면 그것이 몸을 구성하고 의식의 유지에 도움을 줍니다. 그래서 음식물의 '정수'를 의식이라고도 합니다. 음식이 내가 아니듯이 그 음식물의 정수인 의식 또한 내가 아닙니다. 즉, '내가 있다는 느낌'도 내 본질이 아닙니다.

불교에서는 '내가 있다는 느낌' 즉 아상이 실제하지 않는다는 것 즉, 내 본질이 아니라는 것을 12연기를 통찰함으로써 깨닫는 방법을 쓰지만, 아드바이타 베단타 비이원론에서는 '네띠-네띠(아니다-아니다)'라는 부정의 방법으로 아상이 내 본질이 아님을 간파하고 체화시켜 나갑니다. 즉, 이전에 말씀드린 인식되는 대상은 인식하는 주체가 될 수 없다는 바로 이 원리로 말이죠.

위 내용을 글로 읽어서는 잘 와닿지 않을 수 있습니다. 일단, 한 번 읽어두시고 평소 생활하시면서 올라오는 모든 마음에 대고 '미륵존여래불'이라고 속으로 외며 그 마음을 부처님께 '공경하는 마음으로' 바치고 동시에 '나라는 느낌'에 주의를 계속 집중하십시오. 해나가다 보면 직접적인 체험으로서 '아 이런 말이구나!'하고 아시게 되실 겁니다.

7.주체는 객체가 아니고 주체는 스스로를 알 수 없다

우리가 흔히 말하는 '나'라고 하는 것, 즉 '내 물건', '내가 이것을 했어', '나는 이런 사람이야'할 때의 '나'의 정체가 이 몸, 마음(생각과 감정)이 아닌, '나라는 느낌' 그 자체이며, 이것은 의식과 동의어라고 말씀드렸습니다. 이 '나라는 앎' 또는 '내가 있다는 앎'인 의식이 몸과 마음 위에 덮어 씌여져(동일시되어) '몸과 마음이 바로 나'라고 착각하게 된다는 것입니다. 이건 너무나도 중요하기 때문에 다시 한번 말씀드리겠습니다. '내가 있다는 느낌', 이 느낌이 바로 우리가 '내가', '나한테'라고 할 때 그 '나'의 느낌입니다. 그리고 이 '나'라는 느낌이 바로 의식입니다. 여기서 한 발 더 들어가 보겠습니다.

그런데, 의식의 다른 말인 이, '나라는 느낌'을 아는 것은 무엇인가요? 즉, 나는 내가 있다는 것을 아는데, 그것을 아는 주체는 무엇인가? 라는 질문입니다. '객체가 있다는 것을 아는 주체는 객체가 될 수 없다'라고 말씀드렸죠? 그렇다면 이 '내가 있다는 느낌'조차 우리의 본질은 아니라는 말이 됩니다.

　비록 이 의식이 우리가 한평생 사는 동안 불변하지만, 의식도 우리 몸이 있는 동안만 존재하게 됩니다. 니사르가다타 마하라지님의 말씀에 따르면 몸이 스러지면(죽으면) 의식은 잠재되게 된다고 합니다. 어떤 책에서는 몸은 죽어도 의식은 살아있게 된다고 하는데, 이것은 어떤 미세한 몸을 가지고 하는 얘기인 것 같습니다. 어쨌든 제 경험으로는 이는 어디까지나 읽고 들은 얘기이지 제 자신의 경험은 아닙니다. 이것 관련해서는 저도 죽어보거나 완전한 깨달음을 얻은 것이 아니라 들은 얘기를 말씀드립니다만, 확실히 알아두셔야 할 것은 나는 '내가 있다는 것'을 압니다. 결국 '내가 있다는 느낌(앎)' 또한 하나의 인식 대상 즉 객체라는 점입니다. 그러나 '내가 있다는 느낌'은 수시로 변하는 세상 환경, 몸, 생각, 감정과는 다르게 태어나서 죽기 전까지는 의식의 장에 항상 존재하는 고정점처럼 느껴집니다. 그러나 그것이 진정한 내가 아니라는 것입니다. 이점을 분명히 숙지하시고 진정한 내가 아닌 것(몸, 마음)으로부터 탈동일시를 하기 위해 끊임없이 '나'라는 느낌에 집중'하는 것을 계속해 나가시면 됩니다. 이것은 의식이 의식 그 자체에 주의의 초점을 집중하는 것입니다. 현재 우리는 몸, 마음과의 동일시가 너무나 강하기 때문에, 일단 잘 작동되는 몸이 있는 동안은 의식에 초점을 맞추면서 탈동일시를 이뤄나가는 것입니다. 그렇게 해나가면 시간이 지나면서 스승님들이 말씀하신 것에 대해 이해가 넓어지고 직접적인 체험들을 하게 됩니다.

진정한 나는 언제나 주체이고 객체가 될 수 없습니다. 이 말은 진정한 '내'가 알려질 수 없거나 인식될 수 없다는 얘기가 됩니다. 따라서 우리가 인식할 수 있는 것의 한계는 '내가 있다는 느낌'까지입니다. 이 '내가 있다는 느낌' 즉, 의식에 의식의 초점을 맞추는 것을 불교에서는 회광반조, 묵조선 수행이라고 합니다.

이해를 돕기 위해 우리의 본질에 대해 약간 다른 방법으로 얘기해 보겠습니다. 우리가 매일 꿈 없는 깊은 잠을 잘 때 의식이 사라집니다. 제가 여러 책을 읽고 이해하기로는 깨달은 분들은 잘 때도 의식이 깨어있다고 합니다. 순수의식 상태 즉, 몸, 마음과의 동일시가 제거된 상태로 세상과 몸에 대한 인식 없이 순수한 존재감만 느껴지는 상태로 있다고 합니다.

평소에 우리는 몸, 마음과의 동일시가 강한 상태라 꿈 없는 깊은 잠에 들면 의식이 아예 사라지는 것을 경험합니다. 즉, '내가 있다는 앎', '나라는 느낌' 또한 사라집니다. 그러다 잠을 깨면 내가 존재한다는 느낌과 세계에 대한 인식이 [나](=진정한 나)에게 '나타난다'고 말할 수 있습니다. 이때 [나]가 주체이고 의식(내가 있다는 앎)이 객체라고 할 수 있습니다.

육체가 태어나서 3살 정도까지는 의식이 없다가, 의식이 무르익으면 의식이 [나]에게 나타나 자신의 존재에 대한 자각이 시작된다고 말할 수도 있습니다. 이것을 이원성의 출현입니다.

[나]가 주체이기 때문에 [나]가 무엇인지는 알 수 없고 객체가 되는 [나]가 아닌 것들은 알 수 있습니다. 왜냐하면 인식되는 것은 언제나 객체이고, 객체는 주체가 아니기 때문이죠. 반면 주체는 주체 그 자체를 인식할 수 없습니다. 이 말인즉, 인식 대상이 되는 객체가 없다면 주체는 그 자신의 존재를 알 수 없습니다. 이것이 절대성입니다. 절대적인 상태에서는 우리는 우리가 존재한다는 것을 알지 못했습니다. 마치 꿈이 없는 깊은 잠과 같이 말이죠.

의식에 의해 지각되는 몸, 마음은 내가 아닙니다. 몸과 마음을 아는 '내가 있다는 느낌'인 의식조차 그것을 아는 '그 무엇인가'가 있기에 진정한 내가 아니게 되는 것입니다. 일단은 이렇게 이론적으로만 아시고 이것이 본인의 체험이 되게 하기 위해 '내가 있다는 느낌'에 의식의 초점을 맞추는 시간을 늘려가시기를 바랍니다. 그러면 본인의 체험으로 알게 되실 겁니다. 이 과정에서 도움이 되는 것은 마하리쉬님이 말씀하신 이 질문입니다. '나는 내가 있다는 것을 어떻게 아는가?'

몸, 마음, 의식도 기껏해야 80~100년이면 스러지는 일시적인 것입니다. 몸이 죽어 '내가 있다는 앎(의식)'이 사라지면 [나]는 '내'가 존재한다는 것을 알지 못하게 됩니다. 왜냐하면 의식이 있어야 나의 존재를 알 수 있기 때문입니다. 몸이 죽는다고 [나]가 죽는 게 아닙니다. 의식이 사라지는 것이죠. 마하라지님은 의식이 음식의 원소 속으로 잠재된다고 표현하십니다. 그렇다면 몸이 나고 죽을 때 생겨나고 사라지는 것은 [나]인가요, '내가 존재한다는 앎(의식)'인가요? 바로 후자입니다. 그래서 진정한 [나]는 태어나지도 않고 죽지도 않는다고 하는 것입니다. 즉, 불생불멸입니다. [나]는 삶에 영향을 받지 않고 몸, 마음만이 영향을 받는다는 것을 알 수 있죠. [나]에게 '내가 있다는 앎'이 나타나 본인=[나]이 존재한다는 것을 알게 됩니다.

8.스크린, 영사기, 영화내용

이런 비유가 이해를 깊이하는데 도움이 될 것입니다. 지금부터 우리의 진정한 본성을 자각이라고 말합시다. 그럴 때, 자각-의식-세계(환경, 몸, 마음)가 있다고 할 때, 영화관에서 영사기에서 쏘는 빛은 의식이고, 스크린은 자각이고, 스크린에 쏘인 빛이 만드는 화면 즉 영화의 내용은 세계입니다. 의식이 있는 동안만 나, 몸, 마음, 환경이 펼쳐집니다. 빛이 사라진다고 스크린이 사라지는 것은 아닙니다. 이것을 곰곰이 곱씹어 보세요.

[나]를 찾으려는 수행은 '무엇이 [나]가 아닌가' 하는 탐구하는 수행으로 이어지게 됩니다. 왜냐하면 [나]는 알려질 수 없는 주체이기 때문이죠. 몸, 마음이 내가 아니기 때문에 의식(나라는 느낌)에 집중함으로써 몸, 마음과의 동일시를 떨쳐내고 개체적 자아의식(나라는 느낌)이 사라지면 그저 존재감('내가 존재한다는 앎'이 아닌 '존재한다는 앎')만이 남는데 이것이 깨달음의 상태 즉, 일반적인 몸의식이 아닌 동일시가 해제된 '순수의식'의 상태입니다. 지금은 이렇게 설명한 것들이 그저 관념으로만 다가올 수도 있다고

생각합니다. 저 또한 제가 책을 읽고 이해한 후 체험한 내용을 바탕으로 쓰는 것이지만, 아직 완전히 동일시가 해제되지 않았고 평상시에도 알아차림 하지 않으면 순간순간 동일시가 일어나기 때문에, 올라오는 마음으로 괴로워할 때가 있습니다. 완전하게 탈동일시가 일어나 그것에 안착하기 전까지는 이런 수행이 지속되어야 합니다. 나중에 수행이 무르익으면 이런 수행을 하는 '나', 노력을 해야한다는 생각 조차 일어나지 않고 그저 모든 것이 저절로 일어나는 경험을 하게 됩니다. '수행을 열심히 해야한다', '나는 수행자다' 이런 생각들이 다 아상이 있기 때문에 일어나는 생각들이란 것을 간파하시고 그저 놓아버리세요. 그저 나라는 느낌에 의식을 집중하세요.

9.자각, 의식, 마음, 몸, 세계

지금까지 본성과 의식과의 관계를 얘기했습니다만, 의식과 마음(생각과 감정의 집합)의 관계는 어떻게 될까요? 의식이 있기 때문에 세계의 존재를 알 수 있고, 몸의 존재를 알 수 있고, 마음 즉, 생각과 감정의 존재를 알 수 있습니다. 세계, 몸, 마음을 사실 하나로 보시면 됩니다. 우리가 관념으로 이것들을 구분하는 것이지, 사실 환경, 몸, 마음, 나라는 느낌까지 포함해 이 모든 것은 결국 의식이며, 우리가 관념으로 분별해서 여러 가지 단어로 나뉜 것입니다.

의식의 존재로 인해 세계를 알 수 있다는 것은 우리가 기절해서 의식을 잃으면 마음 작용을 알지 못하는 것에서 체험 할 수 있습니다.

자각, 의식, 마음, 몸의 관계에 대해 말해보면 자각은 의식을 초월해있고, 의식은 마음을 초월해 있습니다. 그리고 마음은 몸을 초월해 있습니다. 몸의 감각은 마음이 작동하기 때문에 알 수 있습니다. 우리가 어느 하나에 강하게 집중할 때 우리는 몸의 존재를 알아차리지 못합니다. 삼매에 들어서 마음이 잠시 죽어도 세계와 몸의 존재를 알아차리지 못합니다. 그래서 마음은 몸을 초월해 있습니다.

마음의 작용은 의식이 있기 때문에 알 수 있습니다. 우리가 기절했을 때 우리는 마음의 작용을 알지 못합니다. 하지만, 선정 즉 삼매에 들어 마음 작용이 멈춰도 의식은 존재합니다. 이 때가 바로 공적영지(비어있지만 신령한 알아차림이 존재함)의 상락아정의 상태입니다. 다시 말해, 마음 작용이 있던 없던 의식은 존재하므로, 의식은 마음을 초월해 있다는 것을 알 수 있습니다. 우리의 본질인 순수자각은 지각되지는 않지만, 의식으로 인해 간접적으로 지각됩니다. 바로 '존재한다는 느낌'으로 말이죠. 의식이 있으면 우리 자신의 존재를 알게되고, 의식이 없으면 우리는 사라지는 것이 아니라 우리 스스로가 존재하는지 알지 못하게 될 뿐입니다. 그래서 자각은 의식을 초월해 있습니다. 자각>의식>마음>몸(세계) 순서입니다.

10.깨달음을 위한 수행

깨달음은 몸, 마음과의 동일시를 벗어나 의식으로서 확고히 머무는 것이지만 이를 달성하기 위해서는 꾸준한 수행이 필요합니다. 평상시에 우리는 인연 따라 떠오르는 생각과 감정에 끌려다니며(=동일시 되어) 괴로워합니다.

다음에 말씀드리는 명상을 한 번 시도해 보셨으면 좋겠습니다. 명상이라고 말은 하지만 반드시 앉아서 할 필요도 없고 눈을 감을 필요도 없고 몸을 가만히 있을 필요도 없습니다. 저는 주로 걸으면서 이 명상을 합니다. 방법은 다음과 같습니다.

떠오르는 생각과 감정을 무시하고 그것들을 알아차리는 '나라는 느낌' 또는 '내가 있다는 앎' 그 자체에만 의식의 초점을 맞추는 것입니다. 잡생각에 주의가 끌리면 그것을 알아차리는 즉시, '이 생각이 누구에게 일어났나?'라고 스스로에게 물으십쇼. 그러면 그 대답은 언제나 '나에게'일 텐데 그러면 '그 '나'는 무엇인가'라고 묻고 그 '나라는 느낌'에 다시 주의를 고정합니다. '나'라는 느낌이 맨 처음에는 몸과 완전히 동일시 되어있어 몸이 나라는 느낌이 강하지만, 점점 몸과의 동일시가 줄어듭니다. 즉, 나의 정체성이 곧 몸이라고 하는 관념이 옅어지기 시작합니다. '공간'이라고 하는 것이 마치 공기처럼 내가 보는 모든 것에 퍼져 있듯이 '내가 있다는 앎'도 몸에만 국한되어 있는 것이 아니라, 온 세상에 편재 되어있다는 것을 직접 체험으로서 경험하시게 됩니다. 즉, '공간 속에서 특정한 위치를 점유하는 이 몸이 아닌 이 공간과 같이 모든 곳에 내가 있구나'라는 것을 체험하게 됩니다.

위 상태에서는 몸과의 동일시가 어느 정도 벗겨진 상태입니다. 다만, 우리가 보는 물체들에 대한 상(관념)이 너무나 확고해 '나' vs '저 물체들'이라는 지각이 존재합니다. 여기서 계속 수행하면 물체들에 대한 상, 예를 들어, 이것은 물컵, 저것은 모니터라는 분별이 약화되면서 '내가 있고 저기에 저 물건들이 있다'라는 느낌이 옅어지고 '나라는 느낌'이 그 물체 위에 덧씌워져 '온 우주의 모든 것이 곧 나'라는 인식에 도달합니다.

하지만 위 상태도 아직은 완벽하진 않은데, 이유는 아직도 '나'라고 하는 느낌과 자유의지라는 느낌이 남아있기 때문입니다. 수행을 계속해 나가면 몸, 생각, 감정과의 동일시도 멈추어 자유의지라는 것이 환상이며 몸과 마음은 저절로 인연 따라 일어나고 움직인다는 것을 관찰하게 되고, 더 나아가 '나라는 느낌' 자체가 소멸됩니다. 그러면 불성, 참나 등이라고 불리는 '나'는 다만 이 육체가 그 자신의 운명(인연)에 따라 저절로 움직이고 말하는 것을 지켜보며 평안 속에서 그저 존재한다고 합니다. 즉, 먹고사는 생존 투쟁을 더 이상 할 필요 없이 평화로움에 머문다는 얘기입니다.

지금까지 말씀드린 깨달음에 관한 내용은 아직 먼 얘기로 들릴 수도 있겠습니다만, 앞에서 말한 '마음에 끌려가지 않고 '나라는 느낌' 자체에 깨어있는 것'은 충분히 실천할 수 있는 방법입니다. 그렇게 하는 것만으로도 마음에 끌려가지 않고 명징한 알아차림으로 깨어있는 것이기 때문에 그렇게 하는 것은 마음의 평화를 가져오는 효과가 있습니다. 그러니 시도해 보세요.

11. 안으로 향하지 않으면 밖을 향하게 된다

사는 게 바빠 일상사에 정신을 뺏기면 마음의 내용과 동일시하게 되고 어느 순간 괴로움이 다시 찾아옵니다. 마음과 동일시를 멈추기 위해서는 어떤 일을 하던, 순간순간 깨어있어야 합니다. 깨어 있는다는 것은 주의를 '내가 있다는 느낌'에 맞추는 것, 마음을 아는 관찰자의 자리(=의식)에서 존재하는 것을 말합니다. 마음을 온전히 현재 하는 행위에 집중하는 것 또는 심호흡에 집중하는 것도 한 방법이 될 수 있겠지만, 이 방법들은 '몸'을 내 정체성으로 유지하면서 하는 방법이기 때문에 앞의 방법을 더 추천합니다.

걸을 때, 밥 먹을 때, 샤워할 때 등 일상의 순간순간에 (의식의) 초점을 의식 그 자체('나'라는 느낌)에 맞추면, 생각과 감정에 휩쓸려 허우적대지 않게 되고 마음이 편안해지며 희열과 고요함이 느껴질 수 있습니다. 왜냐하면 불쑥불쑥 올라오는 부정적인 생각, 감정이 잦아들면서 내면의 본성인 긍정적인 감정(사랑, 평화)이 드러나기 시작하기 때문입니다.

이렇게 생활하면서 순간순간 명상을 하면 되는 것이지, 명상을 꼭 일정 시간을 투자해서 앉아 눈감고 한다는 생각을 가질 필요는 없습니다. 이렇게 내 의식의 초점이 현재 그리고 내 마음이 지금 어떤지에 초점을 맞추면서 생활해 나가면 마음이 평화로워지는데, 그렇지 않고 밖에서 벌어지는 휘황찬란하고 흥미로운 것들에 마음을 뺏기게 되면 마음속에서 괴로움이 생기기 시작합니다. 왜냐하면 괴로움은 집착 때문에 생기고, 어떤 것에 마음이 뺏긴다는 것은 곧 집착을 의미하기 때문입니다.

12.생각, 감정 의지 등을 모두 바쳐라

생각을 품으면 현실이 되는 경향이 있습니다. 대부분 우리가 품는 생각들이 부정적, 비관적이라는 사실을 고려해 볼 때, 순간순간 떠오르는 모든 생각들을 무의식적으로 받아들이는 것은 위험합니다. 부정적인 생각이 의식의 장에 떠오르는 것을 알아차리면 그것을 즉시 부처님, 예수님, 나 보다 더 높은 힘, 잠재의식 무엇에게든 바치고 흘려보내세요. 의지도 바쳐야 할 대상입니다. 내가 무엇인가를 작위적으로 하려 하지 말고 자연스럽게 인연이 펼쳐지는 대로 또는 일들이 벌어지는 대로 받아들여서, 힘들이지 않고 일을 해나가십시오. 작위적으로 하지 않을 때 드는 느낌은, 일을 해나가는데 큰 고민 없이 일이 일사천리로 막힘없이 잘 진행되는 것입니다.

예를 들어, 내가 어떤 선택의 갈림길에 있다고 할 때, 관련된 생각이나 나의 의지를 끊임없이 바칩니다. 그러다 보면, 어떤 한 선택지가 막히든 아니면, 어떤 한 선택으로 확실하게 기울든 결판이 납니다. 제가 말하고자 하는 요지는 선택의 갈림길에서 나보다 더 큰 힘에 의해 일이 자연스럽게 결정 나도록 믿고 맡기며 결정의 순간까지 고민하며 갈팡질팡하는 나의 마음을 끊임없이 내려 놓는 것입니다.

13.이유없이 마음이 심란할 때

마음이 심란할 때는 그냥 자거나 나가서 걸어보세요. 걸으면서 이 심란한 마음을 계속 알아차리는 겁니다. 심란한 마음에 끌려가 서(동일시되어서) 괴로움에 허우적대지 말고 끊임없이 '지금 이 마음이 혼란스럽구나' 하고 알아차리세요. 아마 알아차리더라도 기본적으로 동일시된 상태이기 때문에 고통이 느껴질 것입니다. 그럴 때 도움이 되는 방법을 말씀드리겠습니다.

괴로운 마음에는 외로운 마음, 화나는 마음 등 여러 마음이 포함될 수 있는데, 그 괴로운 마음을 알아차리면서 이런 심란한 마음을 겪고 있을 다른 사람을 상상하십시오. 상상하면서 '이런 괴로운 마음을 가지고 있는 사람을 어떻게 하면 도울 수 있을까?' 하는 마음을 내십시오. 즉, 위로하고 지지, 격려하는 마음, 사랑하는 마음, 도와주려는 마음을 내라는 것입니다.

이 마음은 연민의 마음이자 자비의 마음입니다. 이렇게 함으로써 내가 겪고있는 부정적이고 심란한 마음을 사랑의 에너지로 대체하게 되고 마음이 한결 가벼워집니다. 내가 계속해서 느끼고 있는 이 심란함을, 타인이 겪고 있는 또는 인류 전체가 겪는 심란함이라 여기며 이 괴로움을 내 개인적인 것으로 여기지 말고 인간 존재로 태어나서 누구나 겪을 수 있는 아픔 또는 한계라고 인식하고 그것을 연민으로 받아들여 보세요. 그러면 괴로움이 훨씬 덜해지는 것을 체험하실 겁니다.

14.자신이 느낀 감정과 생각에 대한 책임

이번 장에서 이야기할 내용은 아직 아상(개인적인 나라는 관념) 이 남아있어 내가 생각을 일으킨다는 환상에 빠져있을 때 가져볼 수 있는 태도에 관한 것입니다. 우리가 깨닫기 전까지는 즉, 우리 가 자유의지를 가지고 있다고 믿는 한, 우리는 할 수 있는 최선 을 다해야 합니다.

사람은 두 부류의 사람으로 나눠볼 수 있습니다. 마음이 심란 해진 원인을 마음 밖 사건이나 사람 등에서 찾는 사람과 자신의 내면에서 찾는 사람입니다.

만약 마음 밖의 어떤 것이 내 마음을 심란하게 했다면, 모든 사람이 그것을 겪었을 때 같은 반응을 보여야 할 것입니다. 하지 만, 사건 자체의 의미는 모든 사람에게 각각 다릅니다. 예를 들어, 시계를 잃어버린다는 것은 어떤 사람에겐 아쉬움과 슬픔을 일으 킬 수도 있지만, 평소 시계를 바꾸고 싶다는 마음을 가진 사람에 겐 새 시계를 살 기회로 다가와 홀가분함을 줄 수도 있습니다. 그래서 내 마음을 불편하게 하는 내면 바깥의 그 무엇인가는 사 실은 없습니다. 내가 지금 괴롭다면 내가 뭔가 지금 마음을 잘못 먹고 있는 것입니다.

우리는 각자 스스로 느끼는 감정과 생각에 대해 책임이 있습니다. 지금 내 마음이 심란하다면 내가 무엇을 잘못 생각했거나 내 무의식에 해결되어야 할 잘못된 신념이나 감정 등이 있는 것입니다. 원인이 무엇이든 그 원인은 내 내면에 있다는 것을 받아들여야 내 힘으로 지금 이 상황을 바로 잡을 기회가 생겨납니다. 즉, 문제 해결의 방향을 바로잡게 되는 것입니다. 문제의 원인이 바깥에 있다고 알게되면 그것을 바로잡으려고 끊임없이 시간을 낭비해야합니다. 그것을 바로잡더라도 문제의 근본 원인은 마음이라서, 마음은 곧 또 다른 문제 상황을 발견합니다.

신념은 특정 감정이 일어나는 상황이 반복되면 주로 생깁니다. 특정 상황에서 좌절이란 감정을 많이 했다면 '나는 ~가 안돼'라는 신념이 형성되어 무의식 속에 자리 잡습니다. 신념은 보통 무의식적이지만 의식으로 올라와 인식되면 의도를 내어 놓아버리면 되고, 감정의 경우 그 감정 에너지가 소진되어 사라질 때까지 저항 없이 계속 오롯이 느껴버리면 됩니다. 자세한 방법은 놓아버림이나 EFT에 관해 쓴 글을 참고해주십시오.

저절로 떠올라 쏜살같이 자동적으로 지나가는 생각 같은 경우에는 알아차리는 즉시 바치거나 놓아버립니다. 마음에 대한 알아차림을 연습하다보면 그것이 익숙해져서 점점 더 미묘한 마음의 작용에 대해 알아차릴 수 있게 됩니다.

바치거나 놓아버리는 것 모두 기본적으로 올라오는 생각에 대한 비판단적 수용을 전제로 하는데, 이렇게 내면에서 올라오는 것들을 끊임없이 놓아버리고 바칠수록 내 내면은 정화되고 의식적으로 깨어나게 됩니다.

15.빨간 안경

'나는 내가 느끼는 감정과 생각에 대해 책임이 있다'라는 말에 대해 조금 더 자세히 얘기해 보고자 합니다. 우리는 모두 업보(카르마)를 가지고 있습니다. 업보 또는 업식을 좀 더 쉽게 얘기해 보면 과거로부터 가지고 내려온 마음의 습관 또는 마음가짐, 언행의 대차대조표로 보면 되겠습니다.

세상이라는 경계에 부딪히면 각자 가진 업식에 따라 반응이 다르게 나옵니다. 나라면 용인할 타인의 행위를 어떤 사람은 용인하지 못합니다. 반대도 마찬가지입니다.

이렇게 우리는 업식이라는 개개인의 칼라 안경을 끼고 있어서 세상이나 타인이 이 안경의 렌즈 색에 맞게 보입니다. 이런 마음의 원리를 아는 사람은 세상이나 타인이 불합리하게 보이거나 나쁜 것처럼 보이면 그렇게 보이는 원인이 내 마음에 있음을 알고 밖을 향해 분노하지 않습니다. 대신 먼저 자신의 마음을 들여다봅니다.

예를 들어 사람들이 너무 자신의 이익을 챙기는 데만 골몰한다며 비난하는 사람은 자기 자신도 자신의 이익을 챙기는데 신경을 쓰는 사람일 확률이 높습니다. 그래서 그 마음으로 인해 다른 사람이 그러는 것이 눈에 더 잘 띄고 그게 질투가 나고 부러워서 밉게 보이는 것이죠. 그래서 그것에 대해 시비합니다. 자신의 마음에 그런 마음이 없다면 저런 사람들이 그냥 여러 인간 군상 중 하나로 덤덤하게 보입니다. 그래서 다른 사람의 어떤 모습이 신경

쓰이면 그 소질이 내 내면에 있는지 먼저 살펴볼 필요가 있습니다.

16.나에 대한 공격

세상에 대한 부정적인 시각은 결국 자기 자신에 대한 공격이 됩니다. 왜냐하면 세상을 향해 품은 공격적인 생각이 타인의 이미지 위에 덧 씌워져 타인도 나에 대해 공격적으로 생각할 거라 믿기 때문입니다.

예를 들어서 자신이 평소에 타인을 잘 비난하는 태도를 지니고 있다고 합시다. 그러면 내가 어떤 실수를 했을 때 타인도 나를 비난 할 것이라고 생각할 수밖에 없습니다. 왜냐하면 마음속에서 그 비난의 공격적인 생각이 먼저 올라오기 때문입니다. 이런 것이 심해지면 '내면의 비판자'라고 해서 끊임없이 자기 자신을 힐난하는 내면의 목소리로 발전할 수 있습니다. 그래서 되도록 타인이나 세상에 대해 따뜻하고 온전한 시각을 가지고 있는 게 나 자신에게도 좋습니다. 타인에게 따뜻한 시선을 가지고 있으면, 내 내면의 목소리도 나 자신에게 온전해질 확률이 높기 때문입니다.

만약 타인에게는 따뜻하지만, 내면의 목소리가 지나치게 비판적이라면 그런 비판적인 목소리가 궁극적으로는 나 자신을 보호하려는 목적이 있다는 것과 그 바탕에는 두려움이 있다는 것을 자각하여 그 목소리를 향해 연민의 마음을 품고 받아들인다면 그 목소리를 해소하는 데 도움이 될 것입니다.

17.마음공부의 출발점

부처님이 얘기하신 고집멸도에서 현실의 괴로움이 가장 처음 나오듯이, 마음공부의 출발점은 항상 '지금, 여기, 나'이어야 합니다. 지금, 이 순간, 여기서 내 마음이 편한가, 불편한가? 불편하다면 왜 불편한지 그 이유를 살펴봅니다. 뚜렷한 원인이 있다면 놓아버림이나 EFT 기법으로 심리적 원인을 해소합니다. 또, 여러 선택지 중에서 고민하고 있다면, 다 취하려는 욕심을 내려놓고 선택을 하면 고민이 사라집니다. 무언가 뚜렷한 원인을 모르는데 마음이 불편하다면 섭생이 원인이 되어 발생한 육체적인 것(수면, 식사, 영양제 등)에 기인한 문제인지 생각해보고 그것을 다룸과 동시에 불편한 감정을 놓아버림 하거나 EFT 기법을 적용합니다.

놓아버림이란 마치 우리가 길을 갈 때 지나가는 행인에 신경 쓰지 않는 것처럼 떠오르는 생각에는 신경을 끄고, 오직 감정에만 집중하며 그것을 느끼는 것입니다. 감정은 일종의 에너지라서 그것을 억압하거나 회피하지 않고 기꺼이 수용하여 느끼고 허용해 주면 그 에너지가 소멸해 부정적인 감정이 사라집니다.

EFT는 Emotional Freedom Technique(감정 자유 기법)의 줄임말입니다. 이 기법은 몸의 경혈에 침을 놓아 부정적인 에너지의 흐름을 개선시키는 원리를 이용한 것으로 실제 침을 놓는 대신 몸의 경혈들을 손가락으로 두드려 침을 놓는 효과를 냅니다. 손가락으로 경혈을 두드리면서 가급적 소리 내어 '비록 ~한 문제가 있지만, 그럼에도 불구하고 이런 나를 깊이 완전히 받아들입니다'

를 말합니다. 이것은 현재 문제를 있는 그대로 인정하고 수용하는 자세로 문제 해결에 탁월한 태도입니다. EFT를 하는 자세한 방법은 뒤에서 따로 설명하겠습니다.

18.마음이 이유 없이 심란할 때 첫 번째로 할 것

마음이 심란한데 그 이유를 모른다면 이리저리 머리 굴리지 말고 지금, 이 순간, 눈을 감고 이 감정이 내 신체 어디에서 느껴지는지 확인한 후 그 신체감각과 느껴지는 감정에 집중하고 심호흡하면서 그 감정을 오롯이 느낍니다. 호흡을 내뱉을 때마다 그 감정의 에너지가 빠져나간다고 상상하면서 그 감정에 저항하지 말고 기꺼이 받아들이는 태도로, '그래, 내가 말끔히 느껴줄게, 남김없이 올라와라'라는 태도로 감정을 있는 그대로 계속 느낍니다. 그러면 감정의 에너지가 소진되면서 더 이상 감정이 느껴지지 않는 때가 옵니다. 이렇게 하셔도 되고 바로 정식 EFT를 하셔도 됩니다.

19.부정성을 내려놓으면 긍정성은 저절로 드러난다

부정적인 감정을 오롯이 느껴 이 감정을 해소하고 나면 얼마 지나지 않아 받아들임, 평온함, 이해, 연민, 용기 등과 같은 긍정적 속성들이 우리 내면에서 드러나기 시작합니다. 그러기 때문에 부정적인 감정이 들 때 애써 긍정적으로 생각하려 한다거나 감정들을 없애려고 하거나 무시하지 말고 그저 그 부정적인 감정을 오롯이 계속해서 느껴버리십시오. 그러면 그 감정이 사라져 저절로 우리의 본래 특성인 긍정적인 요소가 드러납니다. 다시 말해, 행복한 상태를 만들기 위해 애쓸 필요가 없습니다. 다만 마음속에 느껴지는 부정적인 요소만 제거하려고 애쓰십시오. 부정적인 감정을 저항 없이 느껴 사라지게 하고 제한적인 신념들을 포기하면 긍정적인 우리의 본래 상태는 저절로 드러납니다.

20.깨어있음의 중요성

무의식적으로 올라오는 생각과 감정에 끌려가면서 정신없이 살다 보면 반드시 괴로움을 겪게 됩니다. 우리는 의식의 존재 덕분에 마음(생각, 감정 등)이 어떤지를 알 수 있는데, 자신의 의식의 장(field)에 어떤 마음(생각과 감정)이 올라오는지 항상 기민하게 깨어서 자각해야 하며 마음을 알아차리는 주체인 의식 그 자체에 초점을 맞춰야 합니다.

의식이란 '나라는 느낌', 또는 '내가 있다는 앎'이라고 할 수 있습니다. 우리가 흔히 '나', '내가 그랬어', '이거 내 거야'라고 말할 때 그 '나'의 느낌에 초점을 맞추고 있어야 한다는 뜻입니다. 그럴수록 마음이 점점 고요하게 잦아들고 설사 마음이 날뛴다고 해도 그것과 거리를 두고 초연히 지켜볼 수 있는 마음의 힘이 생깁니다. 그래서 마음의 평화를 유지한 채 지낼 수 있습니다.

마음이 번잡한 것 즉, 번잡한 마음의 내용물이 의식의 장에 올라오는 것일 뿐, 그것을 아는 의식으로서 나는 평온합니다. 마치 영사기가 빛을 비추는 스크린을 생각해보면, 영화 내용이 고요한 호수가 나오던 전쟁 장면이 나오던 스크린은 아무런 영향을 받지 않는 것처럼 의식 또한 부정적인 마음 또는 긍정적인 마음이 떠오르는 것을 알기만 할 뿐 그것에 영향을 받지 않은 채 그저 존재하는 것입니다. 즉, 영화의 내용이 온갖 건물이 부서지는 내용일지라도 영화가 비치는 스크린은 아무런 영향을 받지 않는 것처럼 의식은 마음의 내용에 영향을 받지 않고 순수하게 그저 있습니다. 우리가 '괴롭다'라고 할 때는 마음의 내용물과 동일시할 때일 뿐입니다. 내가 괴로운 것이 아니라 괴로운 마음이 의식의 장 내에 나타났다 사라지며, 내가 즐겁다가 아니라 즐거운 마음이 올라왔다 사라지는 것입니다.

　의식 그 자체에 의식의 초점을 집중하는 것은 즉, '나라는 느낌' 자체에 초점을 집중하는 것은 사실 나로서 있는 그대로 존재하는 것입니다. 이렇게 무엇을 하려는 의도와 강박 없이 마음을 잠시 쉬면서 그저 존재하다 보면 마음이 바쁜 일상 속에서 편안해짐을 알 수 있습니다. 그리고 점점 이렇게 있고 싶은 마음이 커질 것입니다. 이렇게 하는 것이 바로 분별을 쉬는 것인데, 분별을 쉴수록 또는 내려놓을수록 마음의 평화가 커지고 내면에서 사랑이 생겨나 행복해집니다.

21.세상을 보는 방식

우리는 자신이 세상을 보는 방식으로 세상도 우리 자신을 볼 것이라고 느끼는 경향이 있습니다. 이것을 심리학적 용어로 투사라고 합니다. 예를 들어, 내가 세상에 대해 따뜻하고 남을 도우려는 태도로 임한다면 세상도 똑같이 나에게 우호적이고 그 결과 나는 이 세상이 살만한 세상이라고 느낍니다. 하지만 내가 세상에 대해 적대적인 마음을 가지고 '나만 잘되면 된다'라는 이기적인 마음을 가지고 대한다면, 내 내면에서 경험되는 세상은 삭막한 약육강식의 세상이 될 것입니다.

만약 누군가가 '세상 사람들이 나를 싫어하는 것 같고 안 좋게 보는 것 같다'라고 말한다면 그 사람은 우선 자기 내면에 사람들에 대한 증오심이 있는지 살펴보고 그 마음부터 바쳐야 합니다. 바치는 대상은 믿는 종교에 따라 부처님, 예수님, 하나님 등이 될 수 있습니다. 믿는 종교가 없다면 내 마음속 증오심을 내려놓는 마음을 연습하면 됩니다. 내려놓은 방법의 하나로 내면의 부정적인 감정과 신념을 해소하는 호오포노포노를 소개할 수 있는데, 내면에 떠오르는 생각이나 감정에 대해 '사랑해, 고마워'라고 말하면 됩니다. 굳이 소리 내어 말하지 않고 속으로 되 내어도 좋습니다. 감정을 싣지 않고 그저 담담하게 '사랑해, 고마워'라고 말해도 괜찮습니다. 이렇게 계속 말하면 내 무의식 속에 있는 증오심과 관련된 내용들이 지워지기 시작해 내 마음이 편안해지기 시작합니다.

핵심은 마음속에 떠오르는 모든 부정적인 생각이나 감정들을 올라오는 대로 알아차려서 바치는 것, 놓아버리는 것입니다. 긍정적인 것 또한 집착하여 가지고 있지 말고 놓아버리십시오. 올라오는 마음을 알아차리고 수용하는 마음을 내는 것 자체가 놓아버리는 것입니다. 이런 마음이 올라오면 안 된다고 하거나, 얼른 놓아버려 사라지게 하려는 마음이 강한 것은 그 마음에 대한 저항의 일종입니다. 저항하면 그 마음은 사라지지 않고 내 마음속에 고착됩니다. 이런 있는 그대로 알아차려 수용하고 놓아버리고 바치는 행위가 내 무의식을 정화시키는 길이며 에고를 정화하는 길입니다.

이렇게 바치는 과정에서 마음(생각과 감정)을 알아차리고 그것과의 동일시에서 차츰 벗어날 수 있습니다. 몸, 마음과의 완전한 탈 동일시가 깨달음이기 때문에 마음을 알아차리는 것은 깨달음으로 가는 첫걸음입니다.

22.마음과의 탈 동일시

마음이라는 것을 생각과 감정의 집합체라고 생각하셔도 무방합니다. 마음의 속성 중 하나는 그것이 끊임없이 변한다는 것입니다. 반면, 마음을 아는 의식은 비교적 불변하지요. 즉, 의식은 꿈이 없는 깊은 잠에 빠지거나 기절하거나 몸이 죽으면 잠재된 상태로 됩니다. 이런 경우들을 제외하고는, 몸은 나이를 먹어감에 따라 변하고, 생각과 감정은 왔다가 사라지는 것에 반해 의식(나라는 느낌)은 변하지 않습니다.

집주인과 손님의 예로 의식을 더 설명해보겠습니다. 집에 초대받은 손님은 집에 잠시 왔다 떠나지만, 집주인은 집에 계속 남아있습니다. 이때 손님은 마음이고 집주인은 의식입니다. 예를 들어, 우울감이 있다고 하면 이 우울감은 평생 지속되지 않습니다. 잠시 우울했다 괜찮아집니다. 긍정적이거나 부정적인 생각 또한 그렇습니다. 잠시 의식의 장에 떠올랐다 사라지는 것입니다. 하지만 이런 마음의 내용을 아는 의식은 불변하지요. 마음의 내용을 아는 자(의식)는 그저 고요히 모든 걸 알아차리기만 합니다. 다른 의미로 우리는 의식 없이 생각이나 감정을 알 수 없습니다. 즉, 의식이 마음을 알아차립니다.

떠오르는 생각과 감정은 무의식(업보, 카르마)에 따라 떠오릅니다. 내 카르마를 알고 싶다면 떠오르는 생각과 감정을 살펴보면 됩니다. 만약 내가 지금 여자를 사귀고 싶은 마음이 전혀 없다면 그것이 지금 내 운명 또는 인연이라고 보시면 됩니다. 난 왜 여자친구가 없냐며 현재 상황에 저항해 괴로워할 수도 있고, 그저 상황을 담담히 저항 없이 받아들여 괴롭지 않을 수도 있습니다.

생각과 감정은 '내'가 떠올리는 게 아닙니다. 인연에 따라 그때그때 상황에 맞는 생각과 감정이 떠오릅니다. 내가 만약 어떤 여자와 사귀게 될 운명이라면, 그 여자와 있을 때 말이 자연스럽게 잘 나오고 그 여자에게 적극적으로 다가가고 싶은 의지가 저절로 솟아올라 물 흐르듯이 자연스럽게 그 여자와 친해집니다. 그 여자 또한 나에게 호의를 가지고 대할 것입니다. 이런 것을 보고 '관계가 이루어지게 인연이 흘러간다'라고 말할 수 있을 것입니다. 하지만 여자를 만날 운명이 아니라면 여자 앞에서도 무슨 말을 할지 모르겠고 적극적으로 다가갈 의지도 생기지 않을 것입니다.

제가 말씀드리는 것을 운명론으로 받아들이셔서 여자를 만나고 싶은데 여자 앞에서 무슨 말을 할지도 모르는 것을 그저 운명으로 체념하고 받아들이란 말이 아닙니다. 만약 스피치 학원이든 어디든 이런 현재 본인의 모습을 바꿔서 여자를 만나고 싶은 마음이 든다면 그렇게 하시라고 말씀드리고 싶습니다. 그렇게 배워서라도 여자를 만나고 싶은 마음과 의지가 든다면 그것 또한 그대의 운명입니다. 정말 중요한 것은 어떤 마음이 들던, 어떤 언행이 이 몸을 통해 발현되던 그것은 인연에 따라 이루어지는 것일 뿐, 그 마음을 내는 또는 그 언행을 하는 개인적인 나라는 것이 있다는 것은 환상이라는 것을 알고 그것을 넘어가는 것입니다. 인연따라 이루어지는 것입니다.

예를 들어, 배가 고파서 밥을 해서 먹었다면, 배고픔이 올라왔고 그에 따라 쌀을 씻고 반찬을 차리고 먹는 행위 자체가 배고픔에 뒤이어 자연스럽게 벌어지는 일들인 것이지, 내가 배고팠다, 내가 밥을 먹었다 이런 관념들은 모두 착각이며 사실이 아니라는 것입니다. 즉, 나는 몸과 마음이 아니기 때문입니다. 나는 그저 존재했으며, 의식은 이 모든 과정을 그저 알아차리기만 했을 뿐입니다. 더 나아가면 '내가 알아차린다'이런 관념또한 사실이 아닙니다. 의식은 내가 아니기 때문입니다. 나는 그저 있습니다. 의식이 있으면 나의 존재를 아는 것이고, 의식이 없다면 내가 존재한다는 것을 모르게 되는 것일 뿐입니다.

의식이 몸, 마음과 동일시되어 있기 때문에, 올라오는 생각과 움직이는 몸을 보고 '내가 그렇게 했다'라고 느껴집니다. 그래서 자유의지라는 환상이 있는 것처럼 보이는 것입니다. 지금 자유의지가 느껴진다면, 현실에 충실해서 내가 변화시킬 수 있다고 느껴지는 것에 대해선 최선을 다하시길 바랍니다. 동시에 우리는 그렇게 하면서 몸, 마음과의 탈 동일시 수행을 꾸준히 해나가세요.

몸, 마음과의 동일시가 강해 자유의지가 있다고 믿지만, 본래 자유의지라는 것은 환상입니다. 뇌파를 가지고 실험한 어느 과학적 연구에서도 뇌 속 반응이 실제 우리가 선택을 내렸다고 인지한 시점에 앞서 미리 발생하는 것을 밝힘으로써 자유의지라는 것이 환상이라는 것을 밝혔습니다.

우리에게 있는 자유란 동일시를 지속하느냐 아니면 그저 존재하면서 이 몸, 마음이 작동하는 것을 알아차리느냐입니다.

'이런 엉터리 말이 어딨어, 난 자유의지를 믿고 다르게 행동할 거야'라는 생각과 의지조차 그 생각과 의지는 당신이 아니고 다르게 행동하는 몸조차 당신이 아닙니다. 그저 그런 생각이 떠오르는 것일 뿐입니다. 모든 것은 시시각각으로 변화하지만, 의식(내가 있다는 느낌)은 변하지 않고 우리가 살아있는 동안 있는 그대로입니다. 초등학생 때의 '나라는 느낌'과 노인이 되어서의 '나라는 느낌'이 다를 것이라고 생각하시나요? 의식으로서의 당신이 몸, 마음과 동일시하면 '내가 그렇게 생각했고 또 행동했다'가 성립하게 되는 것입니다. 그것이 바로 에고이자 '나'라는 것이 나타나게

- 184 -

되는 이유입니다. 이 '나'(에고)라는 것이 사실은 존재하지 않는 것이었다는 것을 확연히 깨닫는 것이 깨달음입니다.

23.고민 끝에 악수를 둔다

어떤 결정을 앞두고 고민에 고민을 거쳐 선택하면 악수를 두는 경우가 많습니다. 이는 각자의 경험을 되돌아보면 쉽게 이해할 수 있습니다.

어떤 결정을 앞두고 있다면 계속 머리를 굴리지 마시고 고민을 내려놓거나 더 높은 존재에게 끊임없이 바쳐서 자신의 마음을 비우고 또 비우려고 하십시오. 그래서 그 빈 마음에 영감이나 지혜가 저절로 떠오르게 하고 주위의 상황과 여건들이 알아서 순조로운 질서에 따라 이루어지도록 하십시오. 제 경험을 돌이켜보면 이렇게 했을 때 뭔가 하고자 하는 의지가 순탄하게 잘 흘러나와 일이 어렵지 않게 이루어져 가는 경우가 많았습니다. 반대로 내가 뭔가 억지로 하려고 할 때는 하고싶었다가도 조금 지나면 싫증이 나고 할 의지가 안나고 또는 주변 환경에 장애가 생겨 일이 진척되지 않은 경우였습니다.

내 욕심과 근심으로 머리 굴려서 일을 진행할수록 악수를 둘 확률이 높아집니다. 아무것도 안 하는 것 같이 느껴져서 불안하다 할지라도 그 불안을 포함해 떠오르는 모든 생각과 감정을 바치거나 EFT를 통해 불안을 제거하고, 근원의 자리 즉, 의식 그 자체 또는 '내가 있다는 느낌' 그 자체에만 의식의 초점을 집중해 텅

빈 상태로 머무르십시오. 그렇게 하다 보면 어느샌가 갑자기 명료한 영감 같은 것이 떠올라 상황을 일사천리로 막힘없이 진행해 나가거나 상황이 알아서 정리되는 경험을 하실 수 있을 겁니다. 마음의 뿌리에 모든 것을 맡기면 일이 알아서 이루어집니다. 그것이 내가 원하는 일이건 아닌 일이건 상관없이 항상 나에게 최선의 것이 이루어진다는 믿을 가져보세요.

24.끊임없이 분별 내려놓기

마음공부를 하다 보면 여러 책을 읽게 되는데 이 책에서 읽은 내용과 저 책에서 읽은 내용이 상충되거나 잘 정리되지 않아 혼란스러운 경우가 있습니다. 예를 들면, 어느 책에서는 자유의지가 있다고 하는데, 다른 곳에선 자유의지란 존재하지 않는다고 하고, 어느 곳에서는 윤회는 존재한다고 하는데 다른 곳에선 윤회라는 것은 존재하지 않는다고 합니다. 위의 혼란에 대해 저는 우리의 정체를 몸, 마음, 영혼 등 개별적인 존재로 보느냐 아니면 전일적인 참나의 입장에서 보느냐에 따라 다른 견해로 이해하고 있습니다. 참나의 입장에선 '나'라는 관념이 없으니 태어난 적도 없고 따라서 윤회라는 것도 없습니다. 또한, 자유의지도 없습니다. 하지만 몸, 마음과 동일시 된 개체적인 자아 입장에서 보면 자유의지, 윤회 이런 것들이 있는 것 같아 보입니다.

이 외에도 여러 해결되지 않은 궁금증(죽으면 어떻게 되는가, 의식이 사라지는가 아니면 영가로서 존재하는가 등)이 있을 수 있는데, 이것들과 관련돼서 정리된 생각은 다음과 같습니다. 일단, 그 질문이 우리가 살아있는 동안 증명할 수 없고 그저 책이나 다른 사람의 얘기를 믿어야만 하는 이야기이고, 또 그런 주제의 얘기들이 우리 에고의 호기심을 충족시키기 위한 것이기 때문에 그 분별에 끌려가지 않고 모든 분별(궁금증 포함)을 내려놓습니다. 그리고 그저 '오직 모를 뿐'의 입장, 생각 없음의 입장에 머무르려 합니다. 즉, '내가 있다는 느낌'에만 집중하여 모든 생각을 물리치십시오. 그렇게 해서 때가 무르익으면 마음이 사라지고 의식이 전면에 부상하는데, 그때에도 과연 이 질문이 남아 있는지 보십시오. 이것이 제가 취하는 태도입니다. 깨닫지 않은 상태에서는 아무리 머리를 굴려도 모르는 게 있을 수밖에 없습니다. 왜냐하면 마음, 우리의 지성으로는 진리에 대해 확실히 알기가 불가능하기 때문입니다. 이것을 받아들이고 불확실한 것들에 대해서는 모른다는 겸손한 입장에서 그저 의식 그 자체에 머무르려고 하십시오.

여러 가지 영적인 지식에 대해 탐닉하는 것 자체가 어느 순간에 가면 에고의 호기심 놀음이라는 것을 깨닫게 될 것입니다. 호기심을 충족시켜준다고 끝이 있는게 아니라 에고는 끊임없이 '그 다음' 궁금한 것을 찾습니다. 개체적 자아 관념을 여의어 마음의 평화를 가져오는데 도움이 되는것이 아니라 끊임없는 지식에 대한 목마름만 남깁니다.

25.영적인 삶

영적인 삶을 목표로 하는 사람들은 자신의 카르마(내면에서 올라오는 부정적인 마음)를 정화하고 깨달음을 추구하는 삶을 사십시오. 사실 이 둘은 이어져 있습니다. 정화를 하면서 내면의 장막들을 계속 걷어나가다 보면 깨달음이 일어날 조건이 하나 둘씩 갖춰집니다. 또한, 삶을 살아가면서 항상 자신의 의식에 초점을 맞추어 깨어있으십시오. 그리고 일어나는 모든 일을 자신의 카르마를 정화할 기회로 보고 감사히 받아들이는 태도를 연습하십시오.

26.예수님, 제발 도와주십시오!

마음이 우울하고 혼란스러워 그저 깨어있는 것이 너무나 괴로웠을 때, 전 방안에서 이불을 뒤집어쓰고 소리 없이 엉엉 울며 예수님을 찾은 적이 있습니다. "예수님, 하나님 누구든 계신다면 저 좀 도와주십시오." 저는 제 마음을 시커멓고 지름이 10m 정도 되는 커다란 구라고 상상했습니다. 그리고 흰 옷을 입으신 예수님이 나타나셔서 그 구에 손바닥을 대어 하얀 빛으로 정화 해주시는 상상을 했습니다. 그런데 예수님이 손바닥을 그 구체에 대는 순간 제 마음은 침묵 속으로 잠기었습니다. 마치 블랙홀 속으로 마음이 쫙 빨려 들어간 느낌이랄까요. 모든 마음의 소음과 심란함이 사라졌습니다. 시간 감각이 멈추고 호흡이 멈추었으며 태양을 가린 먹구름이 모두 사라지고 태양만 홀로 하늘 위에서 빛나는 것처럼, 빛나는 의식이('나라는 자각') 전면으로 부상했습니다. 그곳에 생각과 감정은 떠오르지 않았고 오로지 존재한다는 느낌 또는 알아차림 그 자체인 의식만이 존재했습니다. 나라는 느낌 그 자체만이 스스로를 의식했고 가슴에서는 지극한 행복감이 마치 샘물이 솟아오르듯 넘쳤습니다. 세상은 지각되지 않았습니다. 그저 존재감만이 있었습니다. 저는 그저 존재하며 의식하고 있는 지복 그 자체였습니다. 하지만 이런 경험은 조금밖에 지속되지 않았습니다. '이게 뭐지?' 하는 생각이 올라옴과 동시에 호흡이 시작되고 시간관념이 되돌아왔습니다.

짧지만 강렬했던 이 경험은, 나중에야 알게 되었지만, 삼매라는 고도의 집중 상태이며 참나 또는 본성에 대한 직접 체험이라고 한다는 것을 알게 되었습니다. 저 같은 경우는 생각이 다시 올라오는 등 마음이 되살아났지만, 깨달은 사람의 경우에는 개인성(나라는 느낌)이 사라지고 마음이 '영원히' 죽어, 내적으로는 이런 상태가 지속되지만, 겉보기에는 육체가 버젓이 보통 사람처럼 행동하는 자연스러운 상태로 자리 잡는다고 들었습니다. 이런 경험을 추후에도 한 번 더 하긴 했지만, 그 이후로는 하지 못했습니다. 하지만 이런 한 두 번의 경험도 한 사람의 인생을 바꿔놓기에는 충분해 보입니다. 저는 이 경험을 한 이후로 깨달음에 대해 더 열심히 공부하고 명상 수행을 하는 등 태도가 바뀌었습니다.

27.영혼은 의식이다

저는 영혼이란 것을 의식으로 이해하고 있습니다.

이런 말이 있습니다. '우리 영혼은 우리가 무엇을 하던 간섭하지 않고 그저 침묵하며 지켜본다.' 이것은 정확히 우리 의식의 속성입니다. 마음이 있어 몸의 감각을 알 수 있는 것처럼 의식은 마음이 어떤지 압니다. 그리고 의식에는 모든 것이 기록되는데 우리가 하는 육체적 경험이나 의도, 생각, 감정들도 포함됩니다. 그래서 많은 경험이 무의식 속에 저장됩니다.

우리가 영혼(의식)으로서 머물며 우리가 느끼는 경험, 마음들을 관조적으로 바라볼 수 있을 때 괴로움으로부터 한 발짝 떨어질 수 있습니다.

28.그것은 다만 그것일 뿐

사자, 고양이, 생쥐가 있습니다. 몸집을 볼 때, 고양이는 사자보다 클까요, 작을까요? 작습니다. 그렇다면 생쥐보다는 어떨까요? 큽니다. 그러면 고양이는 큰가요, 작은가요? 크다고요? 사자랑 비교해보면 작은데요? 그럼 작다고요? 생쥐랑 비교해보면 큰데요? 자, 제가 무슨 말을 하려는지 눈치 빠른 분들은 알아차렸을 것입니다. 고양이 몸집의 크기가 크다, 작다고 하는 것은 비교 대상이 있을 때만 정해집니다. 비교 대상이 없다면 고양이의 크기는 다만 그것일 뿐 크다, 작다고 할 수 없습니다.

위에서 든 예는 모든 형용사적 특징에 적용됩니다. 내가 똑똑

한가, 아둔한가? 날씬한가, 뚱뚱한가? 돈을 많이 버는가, 적게 버는가? 지위가 높은가, 낮은가? 성격은 좋은가, 나쁜가? 저 사람은 좋은 사람인가, 나쁜 사람인가? 이 외에도 많은 예를 들 수 있을 것입니다.

사물의 특징은 사물 자체에 있는 것이 아니라, 그것을 인식하는 우리의 지각에서 비롯되는 것입니다. 즉, 우리가 부여하는 개념, 관념에 불과합니다. 실재하는 것이 아니라는 얘기입니다. 작은 고양이, 큰 고양이가 따로 존재하는 것이 아니라, 고양이를 보는 우리가 그것을 크다, 작다 이렇게 관념을 지어 분별하는 것이죠. 고양이라는 것도 하나의 관념입니다. 고양이가 말을 할 수 있다면, 고양이에게 '너 고양이가 뭔지 아니?'라고 물어본다면, 고양이는 '고양이? 그게 뭔데?'라고 할 것입니다. 고양이는 존재 그 자체일 뿐 고양이는 고양이가 아닙니다. 이해가 잘 안될 수 있습니다. 잠시 곰곰이 생각해보세요.

자, 이 사실을 알았다면, 자신이나 타인 또는 형상이 있는 모든 것에 대한 분별을 거둬들일 수 있으실까요? 그럴 수 있다면 깨달음은 멀지 않았습니다. 모든 분별을 거둬들이진 않더라도 적어도 형상의 특징이 우리 인식에 달려있다는 사실만 알아도 자신이나 타인에 대한 분별이 많이 해소됩니다. 자기 자신에 대한 자아상이 좋지 않던 사람도 '아, 내가 그렇게 못난 사람이 아니었구나. 나는 그저 나일 뿐이구나'라고 알게 되면서 자존감이 높아집니다. 타인에 대해서도 '아, 저 사람은 그저 저 사람일 뿐이구나, 내 마음에 안든다고 나쁜 사람이라고 그저 내가 이름지은 것일 뿐이구나'라고 알면서 타인을 있는 그대로 받아들이는 자비심이 길러질 바탕이 마련됩니다.

분별이 줄어들수록 자신과 세상에 대한 편협한 인식이 온전해지고 타인과 세상에 대해 우호적으로 됩니다. 왜냐하면 우리의 본성이 원래 사랑이기 때문입니다. 부정적인 것을 드러내면 저절로 긍정적인 것이 드러나는 것이 우리의 본성이라고 암기하시면 됩니다. 인식이 우호적으로 될수록 스스로 만족하는 인생을 살기 시작하고, 세상은 희망이 있는 곳이자 나를 돕는 곳으로 느껴지기 시작합니다. 따라서 평화로운 인생이 펼쳐지게 됩니다.

29.힘을 빼고 맡겨라

인생을 살아가는 데 있어 미래를 계획하고 그것을 이루기 위해 행동하는 것은 자연스러운 일입니다. 하지만 이것이 지나쳐 미래를 대비하기 위해 강박에 빠지거나 스트레스를 받는다면 바람직하지 않겠죠? 마음의 힘을 빼고 내면의 영감에 따라 사시는 것을 추천드리고 싶습니다.

내 마음속에 떠오르는 부정적인 생각의 바탕에는 보통 두려움, 욕망이 있습니다. 영감에는 신중함, 긍정성과 자신감, 확신, 사랑, 이타성이라는 속성이 동반됩니다. 한 마디로 긍정적인 감정이라는 것입니다.

내 인생을 이끌어가는, 나보다 더 지혜로운, 더 큰 힘의 존재를 믿고 (누군가는 이것을 불성, 참나, 영혼, 성령, 하느님 또는 잠재의식이라고 합니다) 그것의 뜻에 따라 일이 되어지는 대로, 펼쳐지는 대로, 물 흘러가듯이, 인연 따라서 인생을 살겠다는 마음을 가지시길 바랍니다. 이렇게 사는 것은 내 의지를 끊임없이 내려놓으면서 나보다 더 큰힘의 인도에 따라 사는 것과 같은 것입니다. 또한, 인생에서 일어나는 사건들에 내가 저항하지 않고 오롯이 받아들이며 사는 삶을 말합니다. 무엇인가 안 되는 일을 되게 하려고 괴롭게 애쓰지 않는 삶을 말합니다. 당신이 할 수 있는 노력은 하십시오. 하지만 괴로워하고 있다면 내가 뭔가에 집착하고 있으며 현재 벌어지고 있는 상황에 저항하고 있다는 얘기입니다. 괴롭게 하지 말고 평온하고 담담한 마음으로, 부처님에 대한 공경하는 마음으로, 이타심을 가지고 하십시오.

삶을 더 큰 힘에 내맡기며 사는 태도가 가능한 이유 중 하나는 나의 행복이 어떤 일의 성취에 달려있지 않다는 것을 알기 때문입니다. 내가 어떤 것을 목표로 할 수는 있지만 '반드시 그것이 이루어져야 내가 행복해지는 것은 아니다'라는 앎이 있는 것을 말합니다. 이 말은 여러분의 고정관념과 완전 반대이지요? 무엇을 이뤄야만 행복할 수 있다는 믿음은 그런 믿음을 가진 사람에게는 참으로 작용합니다. 하지만, 행복과 평안이라는 것이 내 내면에 이미 내재한 가치라는 것, 내가 원하기만 하면 그것을 내면에서 언제든지 느낄 수 있음을 알고 경험한다면, 목표를 이루었을 때 느낄 수 있는 성취감, 짜릿함이라는 것은 잠깐 왔다 사라지는 것으로 경험됩니다. 행복과 사랑, 평온함이 내면의 기본적인 자질이 되는 것은 내면의 부정적인 신념과 감정들을 끊임없이 내려놓는 데 따른 자연스러운 귀결입니다. 즉, 의식수준의 향상에 따른 자연스러운 결과입니다.

정리하면, 명상과 기도를 많이 하고 자신의 마음을 끊임 없이 내려놓고 나보다 더 큰 힘의 인도에 내 삶의 흐름을 맡기면 마음이 평온해지고, 본래 나의 내면에 행복과 평화가 갖추어 있다는 것을 알게 됩니다. 또한, 그 갖추어진 행복과 평화를 경험하지 못하는 것은 나의 욕망 때문이라는 것을 알게 됩니다. 다르게 말하면, 몸 마음과의 동일시 때문이죠. 그래서 무엇이 이루어져야 행복해진다라는 믿음이 약해지게 됩니다.

다시 맡기는 삶으로 돌아가면, 목표를 이루기 위한 구체적인 세부 목표를 세우는 것은 괜찮습니다. 그런 목표를 세우고 싶다는 마음이 든다면 얼마든지 세워도 좋습니다. 다만 그런 목표를 달성하지 못했다고 괴로워한다면 그것은 이미 삶을 손아귀에 꽉 쥐고 집착하고 있는 것이기 때문에 바람직하지 않습니다.

어떤 일을 할 때 원을 세워서 할 수도 있고 집착으로 할 수도 있습니다. 집착으로 일을 하면 그것이 이루어지지 않을 때 괴롭습니다. 하지만, 원을 세워서 하면 그것이 이루어지지 않아도 괴롭지 않습니다. 다만, 그것이 될 때까지 계속해서 시도할 뿐 이루어지는 것에 집착하지 않기 때문에 마음은 평온합니다. 될 때까지 그냥 할 뿐입니다. 원을 세워서 한다는 것은 집착 없는 마음으로 한다는 것을 말합니다. 그러니 어떤 일을 하던 집착 없이 하십시오.

어떤 일을 하기 싫은 마음이 들지만 어쩔 수 없이 해야 하는 상황이면 그것 또한 삶이 나에게 주는 과제로써 기꺼이 받아들이는 자세로 싫어하는 마음을 끊임없이 내려놓으며 일을 해나가길 바랍니다. 이때 내려놓으라는 말은 그 싫어하는 감정이 올라오는 것에 대해 '놓아버림'이나 EFT 기법을 쓰라는 뜻입니다. 두 기법 모두 내가 그렇게 느끼는 것 자체에 대해 인정하고, 즉, 느끼는 감정의 존재를 인정하고 있는 그대로 받아들이는 것입니다. 수용의 자세를 취하는 순간 괴로움이 눈에 띄게 줄어들기 시작합니다.

놓아버림은 떠오르는 생각을 무시하고 느껴지는 감정에 대해 그렇게 느껴지는 것을 온전히 허락하고 받아들이며 지속해서 그 감정에 대해 저항, 억압 그리고 회피 없이 있는 그대로 느끼는 것입니다. 감정은 일종의 에너지라 회피, 저항, 억압하면 무의식에 쌓여 괴로움을 유발하지만 있는 그대로 계속 가슴으로 느껴주면 에너지가 소진되어 사라지게 됩니다.

EFT에 대해서는 목차의 'EFT 하는 법'을 참고하시길 바랍니다.

30.생각과 감정은 개인적인 것이 아니다

내면에서 떠오르는 생각과 감정에 대해서 이것이 나만의 개인적인 고민 또는 고뇌라고 생각하지 말고, 이것이 인간이라면 보통 겪을 수 있는 인간 전체의 고민이라고 생각해 그 부정적인 생각이나 감정을 연민으로 바라보십시오. 또한, 그런 생각이나 감정을 겪고 있을 다른 사람들에 대해서 그들이 그런 괴로움에서 벗어나길 바라는 마음을 내십시오. 동시에 그것을 더 높은 힘, 부처님,

예수님 또는 하느님 등에게 바치는 마음을 내세요. 이렇게 하면 마음이 점점 평온해집니다.

저를 예로 들면, 내면에서 어떤 괴로움이 올라오면, 그것을 알아차리자마자, 그 마음에 대고 '미륵존여래불'이라고 속으로 여러 번 되냅니다. 이 때, 올라오는 이 마음을 부처님께 공양올린다 즉, 바친다는 마음으로 공경심을 가지고 되냅니다. 동시에, 어떤 마음이 깔려있냐면, 이런 괴로움으로 고통받는 모든 중생들이 이 괴로움에서 벗어나길 바라는 마음 즉, 연민의 마음으로 되냅니다. 이렇게 하면 자기 마음이 당장 좋아집니다. 이런 두 가지 자세, 부처님 공경하는 마음, 이 괴로움을 겪는 모든 중생에 대한 연민으로 마음을 바치는 것입니다.

31.호흡에 집중하기

마음이 너무 심란해 놓아버림도 안되고 의식에 초점을 맞추는 것도 못 하겠다고 느낀다면, 그저 '지금, 이 순간 여기(Here&Now)' 존재하면서 코로 들어오고 나가는 호흡에만 집중하시기 바랍니다. 즉, 과거나 미래에 대해 생각하지 말고 지금 코로 들어오고 나가는 호흡에만 집중하게 되면 마음은 즉시 과거나 미래에서 빠져나와 현재에 머물게 되고 아무런 문제가 없게 됩니다.

생각은 항상 과거나 미래로 가는 특성이 있기 때문에 현재에 머물면 생각을 떠나는 것이고 이것이 곧 과거나 미래를 떠나는 것이 됩니다. 내 뒤에서 지금 맹수가 쫓아오는 등 이런 급박한 상황이 아닌 이상, 지금 내가 숨 쉬는 현재에 어떤 문제가 있습니까? 문제란 것은 마음이 문제가 있다고 믿기 때문에 생기는 것입니다. 즉, 어떤 상황이 문제이다라고 관념짓기 때문에 문제가 존재하는 것입니다.

보통 문제라고 규정 짓는 근거는 우리의 호불호인 경우가 많습니다. 그래서 본래 문제라는 것이 없다는 것을 이해하셔야 됩니다. 또한 내가 그것을 문제라고 인식하기 때문에 문제가 있다는 것을 알아야 합니다.

예를 들어 10분 뒤에 바이어 앞에서 발표를 해야해서 떨린다고 합시다. 그런데 발표가 아직 시작되기 전인 이 순간 나에게는 아무런 문제가 없습니다. 1분 전에도 아무런 문제가 없습니다. 발표를 할 때도 순간순간의 현재에 마음이 머무를 수 있다면 아무런 문제가 없다는 것을 발견할 것입니다. 말을 더듬는다거나 내용을 잊어버려 내용을 충실히 전달하지 못한 채 발표가 마무리되었다고 합시다. 그러면 내 마음은 미래에 다가올 불이익을 상상하느라 두려워하기 시작합니다. 마음이 항상 현재에 있다면 괴로움은 없습니다. 불이익을 당하는 것도 잠깐 왔다 지나갑니다. 예를 들어, 월급이 깎였다면 월급이 깎일 것이라는 통보를 받는 순간, 깎인 월급이 내 통장에 입금되는 순간, 이런 순간순간들은 내 인생을 잠시 스쳐 지나가는 경험들입니다. 하지만 마음은 이런 경험들을 계속 붙잡은 채 되새김질하며 괴로워합니다. 깨달은 사람들은 마음이 소멸되어 항상 현재에 사는(존재하는) 사람들입니다. 깨달음에 가까워 질수록 생각이 덜 일어나며 완전한 깨달음에 이르면 생각이 떠오르지 않는다고 합니다.

앞에서 말씀드린 호흡에만 집중하는 방법으로 현재의 순간에 닻을 내려 마음이 좀 편안해지면, 다시 놓아버림의 방법으로 감정을 다룹니다. 놓아버림은 그저 느껴지는 감정을 아무런 판단이나 분별없이 수용함으로써 해당 감정의 에너지를 소멸시키는 방법입니다. 이때 떠오르는 생각은 그저 무시합니다.

마음이 응급 상황일 때, 호흡에 집중하는 것이 1순위이고 감정을 놓아버림이 2순위입니다. 3순위는 생각이나 신념을 변화시키는 것입니다. 그런데 2순위를 하고나면 3순위는 저절로 이루어지는 경향이 있습니다. 즉 부정적인 감정과 신념을 다루면 생각은 저절로 긍정적으로 변합니다. 이것이 제가 많은 내담자들을 상담하면서 경험한 사실입니다.

3순위 까지 달성하면 뒤이어 행동이 변하고 마지막으로 인생이 변하는 것을 경험하실 수 있으실 겁니다.

32.주여, 뜻대로 하옵소서!

'주여, 뜻대로 하옵소서!'. 기독교에서 인기 있는 이 문구는 삶에 대한 나의 통제권을 주님께 맡김으로써, 나의 삶을 한층 더 가볍고 겸손하게 하고 평온한 마음으로 사는 데 굉장히 도움이 되는 문구입니다.

불교에서는 '그저 인연을 따라서'라는 문구가 이와 비슷한데, 이 말의 뜻은 삶이 그저 펼쳐지는 대로 즉, 일들이 일어나는 대로 저항 없이 그것들을 기꺼이 받아들이겠다는 것을 의미합니다.

예를 들면, 시험을 쳤는데 결과를 기다리는 상황이라면, 앞에서 말한 태도를 취함으로써 결과에 대한 나의 기대를 내맡기고 합격에 대한 강박감이나 불합격에 대한 불안감을 떨쳐낼 수 있게 됩니다.

저는 이 태도가 삶의 기본 태도가 되어야 한다고 믿습니다. 왜냐하면 저 스스로가 이 자세로 마음의 평안을 얻었기 때문입니다.

33.주님의 연필

마더 테레사 수녀님이 노벨 평화상을 받으실 때 하신 연설에서 '저는 그저 주님의 작은 몽땅 연필일 뿐입니다. 그분이 저를 이용해 이런 그림을 그리신 것뿐입니다.'라는 말씀을 하셨다는 것을 읽은 적이 있습니다. 이런 말에서 알 수 있는 것은 수녀님이 매우 겸손하시며 자신의 공을 하느님께 돌림으로써 자신을 내세우지 않았다는 것입니다.

기독교인이라면 마더 테레사 수녀님이 하신 말처럼 '난 주님의 종이고 그저 그분의 뜻에 따라 살 뿐'의 태도로, 불교인이라면 '그저 인연에 따라 일이 되어지는 대로 살 뿐'이라는 태도로, 종교가 없다면 '나보다 더 높은 힘 또는 잠재의식의 영감이 이끄는 대로 살 뿐'이라는 태도를 가질 수 있습니다. 이런 태도를 가짐으로써 자신의 에고가 부풀어 올라 '나는 이러이러한 것을 해낸 또는 하는 대단한 사람이야'라는 자만심에 빠지는 것을 방지할 수 있습니다.

보통의 우리는 남들에게 내세울 만한 좋은 일을 하면 '잘난 내가 그렇게 했다'라며 어깨를 으쓱이곤 하는데 이런 태도는 자부심을 나타내고 자부심은 괴로움이나 다른 사람의 공격에 취약한 태도이므로 경계하는 것이 현명합니다. 대신 항상 자신의 모자람과 다른 사람들이나 기타 여건들의 적절한 도움에 대해 인정하며 감사하고 겸손하는 것이 마음의 평온에 도움이 됩니다. 또한, 살면서 항상 '어떤 행위를 하는 나라는 것이 있다는 느낌'은 환상이라는 것을 믿고 공로를 더 높은 힘에게 돌리는 것이 의식성장과 더 평화로운 삶을 위한 길 입니다.

34.에고의 환상과 자유의지

깨달은 사람은 몸, 마음과의 동일시를 완전히 초월합니다. 그리고 마음은 소멸되어 더 이상 떠오르지 않습니다. 쉽게 말해 생각과 감정이 일어나지 않는다는 것입니다. 마음은 곧 에고이고, 에고는 생각과 감정이고 생각과 감정이 생기지 않는다는 것은 에고가 죽었다는 것입니다. 이 마음이 죽은 자리에는 의식의 명료한 알아차림과 존재감, 무한한 침묵과 평화 그리고 지복이 대체합니다.

생각이 떠오르지 않으면 어떻게 행동하냐고 하실 수 있는데, 몸은 그저 태엽을 감아놓은 장난감처럼 자동적으로 움직이게 된다고 합니다. 몸이 저절로 움직이는 것을 목격하는 것이 깨달은 자의 경험이라고 합니다. 즉, '내가 자유의지로 선택해서 행위한다'는 환상이 없는 것입니다. 이렇게 내면은 지복과 평화로 가득하고, 스스로의 존재에 대한 자각만 하고 있으니, '내가 앞으로 뭘 해서 먹고 살아야 하나'하는 걱정거리도 없고, 부정적 감정도 없는 것이니 이 얼마나 평안한 상태입니까? 물론 몸은 운명 또는 인연에 따라 저절로 움직이고 입에서는 말이 나온다고 합니다. 깨달은 분들은 이것이 우리의 '본래' 상태라고 합니다. 하지만, 의식의 몸, 마음과의 동일시 때문에 몸, 마음이 우리 자신인 줄 알고 삶에서 고군분투하며 괴로워한다는 것입니다. 에고 즉, '나라는 관념'을 경험하는 상태에서는 여전히 내가 무엇인가를 선택하고 그것을 행한다는 환상이 존재합니다.

35.카르마

제가 이해하는 카르마는 넓은 의미에서는 자기가 지어 자기가 받는 과보의 총합이고 좁은 의미에서는 일종의 경향성 즉, 특정 방향으로 생각하고 행동하려는 관성이자 마음의 습관입니다.

카르마에 끌려다니는 삶을 살지 않으려면, 매 순간 깨어서 올라오는 생각과 감정을 알아차려 그것에 따라 자동적으로 사고하거나 행동하지 말고 사랑에 바탕을 둔 사고와 행동을 하기로 선택해야 합니다. 사랑에 바탕을 둔 선택이란, 나를 포함한 모든 생명을 보살피고 지지하는 긍정적인 사고나 행동을 하기로 결정하는 것을 말합니다.

참고로 제가 드리는 이 말의 대상은 아직 자유의지의 환상을 가지고 있는 분입니다. 어쨌든, 이렇게 에고가 있는 것처럼 보이는 상태에서, 깨어있으며(=몸, 마음과 동일시 하지 않고) 마음에 사랑을 점점 키워나가면 무의식이 정화되기 시작하고 의식수준이 차츰 향상됩니다. 그러면서 몸, 마음과의 동일시가 점점 옅어지고 마침내 몸, 마음과의 동일시가 완전히 깨진 깨달음이 찾아오게 되는 것입니다.

　인도의 깨달은 성자 라마나 마하리쉬는 우리에게는 오로지 몸, 마음과 동일시 할지 안 할지 결정할 자유만 있다고 했습니다. 마음속에서 '이제 나는 무의식과 동일시 하지 않을 거야'라는 생각이 떠올라도 사실, 이는 '내가 생각해 낸 것'이 아닌, 그저 떠오르는 한 생각을 의식이 동일시 한 것입니다. 그래서 '내가 생각해 냈다'라고 느끼는 것이지요. 그래서 끊임없이 마음을 알아차리고 동일시에서 빠져나오려는 노력이 필요합니다. 이 노력이 바로 몸, 마음에 대한 '알아차림'입니다. 그저 '이런저런 생각이 떠올랐구나' 하며 알아차리기만 하는 것이죠. '무엇인가를 알아차린다'라는 뜻 자체가 알아차리는 주체가 있고 알아차림의 대상인 객체가 있다는 말이기 때문에 서로 분리가 됩니다. 즉, 동일시에서 빠져나온다는 말입니다.

　현재 우리의 상태는 몸, 마음과 동일시된 상태입니다. 수행자라면 동일시와 탈동일시 상태를 번갈아가며 탈동일시 상태를 늘려가는 상태일 것입니다. 아무튼 어떤 수준에 있건 우리는 끊임없는 수행을 통해 몸, 마음과의 탈 동일시를 해나가야 합니다. 탈 동일시 과정에서는 아직 동일시가 남아 있기 때문에, '내가 탈 동일시 수행을 한다', '내가 깨달음을 얻기 위해 노력을 한다'라는 착각이 남아 있습니다. 하지만 수행해나가시면 이 또한 그저 저절로 떠오르는 한 생각일 뿐임을 알고 이 생각 자체에 대해서도 알아차리고 그저 흘려보내시면 됩니다. 그렇게 그저 계속 알아차리고 흘려보내면서 의식 그 자체 즉, '내가 있다는 느낌'(에고)에만 의식의 초점을 맞추다 보면 마음이 점점 고요해지고 무의식이 정화되어 완전한 깨달음(몸, 마음과의 탈 동일시)가 일어나게 되는 것입니다. 이것이 제가 그동안 여러 가지 책을 읽고 수행하며 내면에 적립된 깨달음으로 향하는 길입니다.

36.선택의 갈림길에서

당신이 선택의 갈림길에 서 있다면, 각 선택지들에 따르는 장단점을 한 번 파악해보고 내가 어떤 삶을 살고 싶은지 마음 깊은 곳에 한 번 물어보십시오. 그리고 난 후에 계속 고민된다면, 최종적으로 선택을 내려야 하는 그 순간까지, 끊임없이 여러 가지 선택지들을 저울질하려는 그 마음을 바치거나 놓아버리십시오. 그러면서 자연스럽게 마음이 어느 한 쪽으로 기울 때까지 또는 상황이 자연스럽게 어떤 선택지를 선택하도록 바뀔 때까지 기다리십시오. 계속해서 고민하는 것은 선택지들 모두 장단점이 있기 때문이고 각각의 단점은 모두 피하고 싶고 장점 모두를 취하고 싶은 모순된 나의 욕심 때문입니다. 그래서 이런 욕심에 바탕을 두고 일어난 모든 생각을 계속해서 놓아버리라고 말씀드리는 것입니다. 제 경험에 의하면, 내면에 부정적인 것을 계속해서 바치면 내면에서 알아서 긍정적인 또는 자명한 내용이 떠올라 그 쪽 방향으로 가고자하는 의지가 솟아오릅니다.

에고가 머리를 굴려봤자 좋은 선택을 하기 힘이 듭니다. 나보다 더 큰 무엇의 안내를 알아차리고 그것에 따라 살 수 있게(=순리에 따라 삶) 의식은 분별을 끊임없이 쉬어주는 게 좋습니다.

이렇게 살 때, 때로는 아무것도 하지 않는다고 느껴져 두려움이 올라올 수 있다는 것을 이해합니다. 제 말은 아무것도 하지 말란 것이 아닙니다. 각각의 선택지들에 따른 장단점을 잘 파악했다면 내면에 '어느 것이 저를 위한 최선의 선택입니까?'라고 더 높은 힘(부처님, 하느님, 성령, 잠재의식 등)묻고 그 질문을 그저 가슴에 품어두십시오. 그런 다음부터 나도 모르게 자동적으로 자꾸 고민하는 것을 멈추라는 뜻입니다. 아무런 결론이 나지 않는데 자꾸 고민하고 있다는 것을 알아채는 순간, '어! 또 잡념에 빠져들었네' 하고 알아차리고 다시 현재에 깨어계십시오. 이렇게 하다 보면 여러 선택지 중 한 선택지를 선택하는 쪽으로 자연스럽게 결론이 나게 됩니다.

37.그저 인연을 따라 산다

불교에서 흔히 하는 말로 '인연 따라 산다', '인연 되는대로 한다'라는 말이 있습니다. '인연 따라 한다'라는 것의 의미는 삶이 그저 펼쳐지는 대로 그것에 순응해 산다는 얘기입니다.

상황에 따라 생각과 감정이 저절로 일어납니다. '나'라는 것이 있어 생각을 '해내는' 것이 아니라, 각자의 의식수준에 맞는 생각이 마음속에(의식의 장 속에) 저절로 떠올라 내가 그것을 인지하게 된다는 것입니다. 감정과 의지도 마찬가지입니다.

금요일 저녁 집에 있는데 갑자기 영화를 보러 영화관에 가고 싶다는 마음이 들어서 영화를 보러 갔다면, '영화를 보러 갈 인연이었구나'하고 아는 것입니다. 자신의 남자친구에게 갑자기 딴지를 걸어 말싸움을 하게 되었고 그 결과 헤어지게 되었다면 헤어질 인연이 펼쳐진 것입니다. 즉, 씨앗(인)이 적절한 환경(연)을 만나 피어난 것입니다.

'일들이 저절로 일어난다고? 말도 안 돼. 삶은 내가 적극적으로 계획하고 가꾸어 나가는 거야. 내 의지에 달린 거야'라고 생각하고 그렇게 산다면, '이런 생각과 의지가 저절로 떠오른 것이고 행위가 저절로 펼쳐진 것입니다.

다시 한번 얘기하자면, 생각을 '해내는 나'라는 것은 존재하지 않습니다. 평소에도 마음을 잘 살펴보면 바로 알 수 있습니다. 예를 들어, 가스 불을 껐었나 순간 의문을 가지면서 가스 밸브를 확인하는 과정에서 이 의문은 저절로 떠오른 것이고 이 생각에 따라 밸브를 확인하고자 하는 의지가 자연스럽게 마음속에 떠오르고 그에 따라 자연스럽게 잠긴 벨브를 확인하는 행동이 일어난 것입니다.

이 과정에서 '내가 했다'라고 할 만한 요소는 존재하지 않습니다. 기껏해야 '나'는 그저 이 모든 것이 일어나는 것을 목격했을 뿐, 나는 행위자가 아닙니다. 곁가지 얘기이긴 하지면 깊이 들어가면 사실 목격자도 아닙니다. 목격 즉, 알아차림은 비개인적인 의식의 특징일 뿐입니다.

인연이 되지 않는다는 의미는 무엇을 할 생각과 의지가 떠오르지 않는다는 것입니다. 예를 들어, A라는 친구를 만나고 싶은 생각이나 의지가 들지 않는다면, A라는 친구를 만날 인연이 아닌 것입니다.

인생을 꾸려나가는 개인적인 '나'라는 것이 있다는 것은 환상이자 착각입니다. 자신의 마음에 계속 깨어있다 보면 생각, 감정, 의지가 저절로 일어난다는 것을 알게 되고, 의식 그 자체(나라는 느낌)에 초점을 맞추다 보면 몸, 마음과의 동일시가 옅어지게 되면서 '행동을 내가 했다'라는 느낌도 점차 옅어집니다. 이런 과정을 거쳐 일들이 일어나는 대로 순응하며 살아갈 수 있게 됩니다.

인연 따라 살겠다고 마음을 먹는 초반에는 왠지 이렇게 살다가는 아무것도 계획 없이 사는 것 같아 미래가 깜깜하고 아무것도 하지 않으면 삶에서 도태되는 것이 아닌가 또는 결국에는 길바닥에서 나 혼자 외로이 늙고 병들어 굶주림에 고통받으며 죽는 것이 아닌가 하는 두려움이 들 수도 있습니다. 하지만, 정말 아무것도 하지 않으려고 해도 삶이 그렇게 되기가 쉽지 않습니다. 정말 손 하나 까딱하지 않고 가만히 누워있거나 앉아 있으려고 시도해 보십시오. 아마 10분도 가만히 있기 힘들다는 것을 발견할 것입니다. 끊임없이 마음이 움직이고 물 마시러 가고 싶고, 때가 되면 배가 고파 밥을 먹고싶고, 시간이 좀 더 지나면 '안 되겠다. 일해야 먹고 살지'라는 생각이 떠오르면서 자연스럽게 일자리를 찾게 되고, 이렇게 자신의 운명에 따라 저절로 생각과 행위들이 벌어지게 된다는 것을 발견할 것입니다.

중요한 것은 일어나는 생각, 감정, 의지, 행동이 '내가 해내는 것'이 아닌 인연에 따라 저절로 일어난다는 사실을 믿고, 마음을 관찰하고 명상을 함으로써 몸, 마음과의 동일시를 떨쳐내면 이것이 믿음이 아니라 자신의 체험이 됩니다.

'그저 인연 따라 산다'는 말은 삶이 저절로 펼쳐진다는 진실에 대한 또 다른 표현이며, 마주치는 삶에 내면적인 저항없이 순응하며 살겠다는 적극적인 인생관의 표현이라고 볼 수 있습니다.

38.부정성만 걷어내라

목표한 것을 이루기 위해서는 우선적으로 긍정적인 것을 마음속에 입력하기보다는 목표를 이루는데 내 마음속에 어떤 부정적인 요소가 있는지 확인하여 그것을 없애는 데 초점을 맞추십시오. 예를 들어, 돈을 1억 버는 것이 목표라면 그 목표에 대해 내 마음속에서 일어나는 부정적인 생각이나 신념, 느낌들을 바치고 해결하는 데 초점을 두십시오. 그러면 목표는 저절로 이루어집니다.

다만 이 과정에서 목표 그 자체에 너무 집착하지는 말고, 목표를 이룬 자신의 모습을 상상해보고 그때의 느낌을 자주 느껴보세요. 이것을 매일 잠깐씩 하되 그 뒤에 일상 생활을 할 때는 이 마음속 목표를 부처님께 바치세요 또는 마음속에서 놓아버리세요. 즉, 진인사대천명, 되고 안되고는 하늘에 맡기고 나는 그저 노력할 뿐이라는 목표에 집착하지 않는 가벼운 마음을 먹으라는 얘기입니다.

내면에 '난 ~하기 때문에 안돼', '~하기 때문에 일이 이뤄지기 어려울거야'라는 마음이 드는 것은 내면에 있는 부정적인 핵심 감정과 신념 때문입니다. 그래서 이런것들을 찾아내어 우선적으로 제거하지 않고 내가 바라는 목표를 계속 생각하고 바라는 끌어당김을 해봤자 소용이 없는 것입니다. 목표를 이루는데 장애물을 먼저 제거하면서 나아가야 합니다.

39.바라는 일이 있다면

이루어지길 바라는 일이 있다면, '내 인생에 무엇이 유리한지 나는 진정으로 알지 못한다'라는 사실을 떠올리고 계속해서 올라오는 바람, 욕구, 욕망을 그저 부처님, 하느님, 잠재의식 또는 더 높은 힘에 바쳐보세요.

'저는 이 일이 이루어지는 것이 진실로 제게 좋은지 안 좋은지 모릅니다. 그저 주님 뜻대로 하십시오' 이런 마음이 되어 탁! 놓아버리는 것입니다. 이런 마음으로 지속해서 바치다 보면 고민이나 갈등 또는 망설임이 없는, 확신이 동반된 자연스러운 영감이 올라올 때가 있습니다. 이런 영감을 바탕으로 행동으로 옮기면 일이 이루어지는 과정이 매우 부드럽고 막힘이 없음을 경험할 수 있으실 겁니다.

하지만 어떨 때는 바라는 일이 이루어지지 않을 때도 있을 것인데 그때는 '그것이 이루어지는 것이 내게 좋지 않았구나' 또는 '내가 그것을 이룰 복이 아직 부족하구나'라고 아시면 됩니다. 제 개인적으로 볼 때, 뭔가 이기적으로 욕망하는 것이 이뤄지지 않을 때는 전자처럼 생각하고, 이타적으로 원을 세운 것이 이뤄지지 않을 때는 후자처럼 생각하는 것 같습니다. 어쨌든 궁극적 목표는 모든 욕망을 여의고 완전한 행복인 깨달음을 달성하는 것이기 때문에 내가 바라는 것이 이뤄지지 않았다고 한다면 괴로워할 필요 없이 계속해서 올라오는 마음을 바치면 됩니다.

뭔가 이뤄지지 않았는데, 내가 계속해서 원한다? 그러면 겸허한 마음으로, '다만 할 뿐'이라는 마음으로 집착없이 계속 해나가면 됩니다.

예를 들어, 만약 제가 절을 짓고 싶다는 마음을 품는데, 여건이 받쳐주지 않는다면 그런 상황에 좌절하지 않고 계속해서 복을 짓고, 기도하고 현실적인 방법을 찾아보고 할 것입니다. 시험 준비하는 것도 마찬가지입니다. 현실적으로 이 시험을 준비하는 것이 맞는지 나의 적성이나 직업의 전망 등을 나름대로 고민해보고, 학비, 생활비 같은 주변 여건도 고려해보고, 나 잘되게 해달라는 기도말고 공부하는 모든 사람들이 잘되길 기도하고, 아르바이트를 병행해 나가면서 돈을 벌고 또 복 짓는 마음으로 하는 등 마음을 안정시켜 수험생활을 해나갈 것입니다.

위와 같은 방식으로 내 바람에 대한 집착을 놓아버리십시오.

또한 내 인생에 일어나는 일에 대해 '좋은 일이다', '안 좋은 일이다'하는 판단도 위에서 말씀드린 '나는 모른다'라는 마음으로 바쳐 시비분별에서 떠나면서 일을 그저 해나가보세요. '다만 할 뿐'의 자세로.

40.아상, 나라는 생각

아상은 '나라는 생각'인데 스승님들이 한결같이 말씀하시는 것이 이 '나'라는 느낌이 사실은 존재하지 않는 환상과 같다는 것입니다.

아상 즉, '나'라는 것이 있기 때문에 모든 괴로움이 시작됩니다. '내가 그 지위에 이르지 못해서 괴롭다', '내가 돈을 얼마만큼 못 벌어서 괴롭다', '내가 그 사람을 얻지 못해 괴롭다', '내가 그것을 잃어서 괴롭다' 등 여러 예를 들 수 있습니다.

아상이 소멸되는 것이 깨달음이고 궁극의 행복입니다. '나'라는 생각, '내 것'이라는 생각이 삶에서 차지하는 비중이 줄어들수록 삶이 행복해집니다. 내가 없다면 나는 죽는 것이 아닌가 하는 걱정을 하실 수 있는데 그러실 필요는 없습니다. 개인성 즉, '이 몸 또는 마음이 곧 나'라는 관념(=에고, 아상)이 사라질 뿐 의식은 남아 있게 되고 몸과의 동일시를 탈피한 상태가 되어 인생이 저절로 펼쳐지는 것을 경험하게 되기 때문입니다. 일단 지금은 꾸준히 수행해 나가보세요. 그러다보면 조금씩 체험적으로 깨달음의 맛을 보게 되고 경험적으로 스승님들이 하신 말씀이 참말이라는 것을 알게 됩니다. 그러다보면 수행에 있어 점점 자신감과 믿음이 커집니다.

41.나는 어떠어떠한 사람이 아니다

'나는 마음공부를 하는 사람이다', '나는 돈 많고 잘나가는 사람이다', '나는 잘난 것 없는 못난 사람이다', '나는 어떠어떠한 사람이다' 등과 같은 자기 자신에 대한 모든 정의는 다 거짓이고 헛됩니다. 왜냐하면, 나는 몸이 아니고 마음이 아니기 때문입니다. 인간관계, 주변 환경, 부, 명예, 지위 등은 다 인연따라서 잠깐 왔다가 사라지는 것입니다.

나에 대한 모든 정의는 몸, 마음과의 동일시에서 나온 환상이자 관념에 불과합니다. 몸과 마음의 내용은 태어난 이후로 부단히 변했습니다. 하지만 '나'라는 느낌은 변하지 않았습니다. 이 '나라는 느낌'은 의식이라고 부를 수 있으며, 일차적으로 우리는 의식을 나라고 여길 수 있습니다.

의식을 자신과 동일시 하며 의식에 집중하는 수행을 하다 보면 개인성이 초월되어 개인성의 관념이 사라지는데 이때를 깨달음이라고 부릅니다. 이때 개인성을 띤 의식이 순수한 의식으로 됩니다. 빛나는 태양(순수의식)이 구름(개인성)으로 가려져 있던 것입니다.

살면서 앞에서 말씀드린 '나는 어떠어떠한 사람이다'라는 생각이 올라오는 때가 있습니다. 하지만, 그럴 때마다 그런 정의들은 모두 함정임을 깨닫고 알아차려 그 생각들을 바치고 놓아버리십시오.

42.그저 자신이 무엇인지 아십시오

내적인 평화를 위해서라면 다른 사람에게 내가 어떤 사람인지 증명하려고 애쓰지 말고 그저 내가 무엇인지 알도록 하십시오. 몸이 아니고, 행위가 아니고, 성격이 아니고, 감정이 아니고, 생각이 아니고, 의지가 아니고, 직업이 아니고, 지위가 아니고, 역할이 아니고, 기타 등등의 형상으로 한정 지워질 수 없는 존재가 나라면, 자신에 대한 신념이 뿌리째 뽑힐 것입니다. '나는 부족한 존재야', '나는 ~한 존재야' 등의 모든 자기 한정을 더는 믿지 않게 됩니다. 이런 바탕에서 진정한 내적인 평화와 굳건한 자존감이 자리 잡게 되는 것입니다. 결국엔 나 자신이 한 개인이라는 관념조차 뿌리 뽑힙니다.

43.나라는 느낌(아상)은 환상

수행 중 나타나는 신기한 현상은 일시적이며, 그것을 '내'가 일으키는 것도 아니고 저절로 일어나는 현상으로 아시는 것이 아상(에고)의 소멸에 도움이 됩니다. 그저 그런 현상이 인연따라 저절로 일어나고 사라지는 것을 자각하십시오. '나는 수행을 많이 해서 이런 신통을 부릴 줄 안다'는 함정에 빠지지 마십시오. 에고는 자신의 위대함을 주장하고 싶어 합니다. 어떤 상황에 있던 개별적인 '나'라는 느낌이 있다면 여전히 에고는 살아있는 것이며, 아상이 남아있는 것입니다.

44.일이 자연스럽게 되게 하라

어떤 일을 달성하고 싶을 때는 그 일을 이루기 위해 스스로를 채찍질하고 몰아대는 대신에 그에 대해 원을 세우고 마음에 그리십시오. 그리고 그것이 일어나는데 방해가 되는 생각, 감정들을 모두 바치십시오. 이때 도움이 되는게 EFT(감정자유기법)입니다. 이건 한 번 찾아보세요.

그러면 내면에서 그 일을 하고자하는 동기나 욕구가 저절로 올라와 마음이 그것을 하고자 하는 충만함으로 꽉 차는 것을 경험하게 될 것입니다. 그러면 그 때, 일들을 해나가십시오. 욕심에 쫓겨 일을 해나가지 마십시오.

예를 들어, 상담소를 개업하고자 하는 마음이 들었을 때, '상담소를 개업하여 사람들을 도움으로써 부처님 기쁘게 해드리길 발원'이라고 주기적으로 원을 세우고, 성공적으로 센터가 차려지고 상담을 하는 저의 모습과 그때의 생각, 감정을 상상해 생생하게 느껴봅니다. 그리고 상담소를 개업할 준비가 아직 안되었다던지, 아직 개업하고 싶지 않다던지, 이제 상담소를 개업할 때가 됐다던지 이런 모든 생각을 부처님께 바칩니다. 종교가 없다면 그 생각을 그저 흘려보냅니다. 중요한 것은 올라오는 생각에 집착하지 않는 것입니다.

이렇게 계속하면 어느 순간 이제 해도 되겠다는 어떤 의지가 가슴에 꽉차고 또는 환희심, 자신감 등을 느낄 수 있는데, 이때는 일을 해나갈 수 있는 준비가 된 것입니다. 이 때 일들이 순탄하게 펼쳐지는 것을 경험해보세요.

45.어떤 일이 일어나던 내맡기기

어떤 일을 겪던, 그 일에 대한 나의 욕구, 생각, 감정, 기대, 판단 등을 모두 하나님 또는 부처님께 맡기고 내려놓기를 선택하십시오. 그저 인연 또는 하나님의 뜻에 따라서 모든 일이 나에게 최선인 것으로 벌어진다는 것을 믿고 편안한 마음으로 살아가십시오. 일어날 일은 일어납니다. 그렇기 때문에 지금 존재하는 것 그대로의 완벽함을 보시고 아무 걱정도 하지 마십시오. 내 생각만 떠나면 지금 이대로 완벽합니다. 내가 만약 무엇인가를 걱정한다면 내가 그것에 집착하고 있음을 나타냅니다. 그러면 그것을 내맡기십시오.

46.의식의 초점

항상 의식의 초점이 '나'라는 느낌, 에고 또는 아상에 있어야 합니다. 누가 내가 있다는 것을 아는가? 이 질문을 마음에 품은 채로 '나'라는 느낌에 주의를 집중하세요. 중간에 놓쳐 또 마음 바깥에 한눈을 팔면, 다시 알아차리고 의식에 주의를 집중하세요.

내가 좋은 일을 해서 으쓱할때 '지금 이 으쓱함을 느끼는 '나'

는 과연 무엇인가, 누가 으쓱하다고 느끼는가'라고 스스로에게 물어보십시오. 그러면 대답은 '나'이겠지요. 그러면 그 '나'라는 느낌에 집중하세요. 이런식으로 자꾸 주의를 '나'에게 집중하는 연습을 하는 것입니다.

또한, 이렇게 수행을 해나가다 보면 그저 으쓱함이라는 감정만 의식의 필드 속에 생겼다 사라지는 것을 알 수 있습니다. 감정이나 생각을 알아차리는 순간, 그 즉시 의식은 마음과 한 발짝 분리됩니다.

'내'가 이런 생각과 감정을 알아차렸다고 느껴지시겠지만, 사실 그 나라는 느낌이 환상입니다. '나'라는 느낌의 근거를 찾아보면 찾지 못할 것입니다. 무엇을 '나'라고 할 것 인가요? 손? 발? 마음? 뇌? 영혼?

'내가 있다'에서 '내가'는 의식이 몸과 동일시 되어서 느껴지는 개인성이고, '있다'는 잠재된 의식이 출현함으로써 우리의 본성이 자신이 존재한다는 것을 상대적으로 알게되는 것을 의미합니다.

나라는 느낌은 의식이 몸, 마음과 끊임없이 무의식적으로 동일시 함으로써 생기는 착각입니다. 우리가 끊임없이 나라는 느낌에 의식의 초점을 맞출때 의식의 몸, 마음과의 동일시가 깨집니다. 의식은 그것이 초점을 맞추는 것과 동일시 하는 특징이 있기 때문입니다.

몸, 생각, 감정이 나인가요? 이것들은 끊임없이 변합니다. 나라는 느낌도 육체가 태어나거나, 기절하거나, 깊은 잠을 잘때는 존재하지 않습니다. 즉 영원하지 않지요. 그렇다면 이 나라는 느낌을 아는 그것은 무엇인가요? 이것이 말로 표현할 수 없는 우리의 본질입니다. 태어남도 죽음도 없는 바로 그것이죠.

그러니 '내 미래가 걱정된다. 내 과거가 후회된다, 나는 못났다, 나는 잘났다' 하는 그 모든 나에 대한 정의를 거부하십시오. 그대신 '나라는 느낌'에 집중하십시오. 그러면 저절로 마음이 밝아집니다. 몸, 마음과의 동일시가 깨지고 의식이 확장되기 때문입니다.

47.내면의 화수분

사람들이 각자의 내면에 있는 행복의 화수분을 발견하길 바랍니다.

외부의 무엇인가에 의존해 보이는 행복도 결국에는 이 화수분을 통하는 것인데도, 사람들은 이 보물단지의 존재는 모르고 외부의 것만을 추구합니다. 이 화수분은 우리의 진정한 존재 그 자체인데, 생각을 떠나 이것에 관심과 주의를 기울이면 내면에 은은한 행복감과 내 주변의 일들이 순조롭게 풀리는 것을 경험하게 됩니다.

욕망하던 어떤 것을 가졌을 때 행복한 이유는, 갈망하던 마음이 순간적으로 그 욕망하던 것을 가짐으로해서 사라지기 때문입니다. 갈망하는 마음이 사라져 본래 갖추고 있던 본성의 평온함과 지복감이 느껴지기 때문입니다. 욕망하던 것이 행복을 가져다주는 것이 아니라, 욕망하던 마음이 잠시 사라져서 행복을 느끼는 것입니다.

48.진정한 자유

자신의 정체성을 바로 알고 그곳에 안주하면 정말이지 해야 할 것이 아무것도 없습니다. 생각이 떠오르지 않는 것이 최고의 경지이지만 떠오른다 해도 그것은 그저 일어났다 사라지고 육체도 저절로 움직였다 멈추는 것을 그저 지켜보게 됩니다. 이것이 진정한 자유이자 삶에서 살아남기 위해 고군분투하는 마음으로부터의 해방이지요.

49.알아차림의 유용성

알아차림이 심리치료에서 차지하는 유용성은 떠오르는 생각과 감정에 대해 한 발짝 물러남으로써 우리가 덜 상처받을 수 있다는 것입니다.

일단 한 발짝 물러서서 그것을 바라보며 우리는 감정을 해소하고 생각을 바로잡을 기회를 얻습니다.

50.어떤 상황에 있던지

어떤 상황에 있던지 그 상황에서 일어나는 분별심을 놓아버리기 위해 그 상황을 이용하십시오.

51.존경할 만한 인격과 깨달음

사회적으로 존경받을 만한 인격을 갖추는 것과 깨달음을 얻는 것은 서로 다른 것입니다. 깨달음의 주관적 경험에서는 인격 또는 자아가 해체되고 순수한 자각만 있습니다. 물론 겉보기에는 일반 사람과 똑같이 행동하는 것처럼 보이겠지요.

52.스승을 고를 때 지표

깨달은 스승은 당신에게 물질적으로, 육체적으로, 정신적으로 바라는 것이 아무것도 없습니다. 누군가를 스승으로 삼을 때 이 점을 잊지 마시기 바랍니다. 반면에 사이비 스승의 대표적인 특징으로는 당신을 독립시키는 것이 아니라 의지하도록 하고 당신의 돈이나 성을 원합니다.

53.삶의 흐름에 맡김

상황이 최악으로 치닫는 것처럼 보일 때일수록 상황에 대한 나의 해석은 지속해서 내려놓고 나보다 더 큰 힘을 믿고 그것에 삶의 흐름을 내맡기십시오. 삶의 조타수를 쥐려는 나의 바람을 끊임없이 내 맡기고 안내를 구하면서 기도하세요.

54.성욕과 깨달음

마음공부 또는 수행, 뭐라고 부르던 이쪽 분야에 관심이 있는 사람들 가운데는 성욕을 극복해야 깨달음에 이른다는 생각을 가지고 있는 사람들이 많은 것 같습니다. 저도 깨달음에 확고히 안착한 분은 성적인 행위에 관심이 없다는 것을 압니다. 그런데, 성욕이 있는 우리들이 깨달음에 이르고자 성욕을 터부시하고 깨달음을 얻기 위해 있는 성욕을 억압하고 꺼리는 마음을 내는 것은 순서가 바뀐 것입니다.

세상의 모든 것들 심지어 생각, 감정, 욕망 또한 고정된 것이 없고 변화하여 헛된 것이라는 인식이 내면에 확실히 자리 잡히면 더 이상 그것에 매력이 사라지게 되어 집착하지 않게 됩니다. 또한 지속적인 수행을 통해 알아차림의 존재 상태로 머무는 시간이 늘어날수록 내면의 욕망이 힘을 쓰지 못하고 올라오자 마자 바로 사그라듭니다. 이 두 가지 즉, 모든 것은 항상하지 않다는 인식이 자리잡는 것과 의식 그 자체로서 머무는 수준이 깊어지는 것이 확고해지면 성에 대한 관심이 확연히 줄어듭니다. 내면의 초점이 확고해지지 않는 수준에서는 어느 순간에는 집착했다가 어느 때는 다시 초연해지고 이러는 것을 반복하게 되겠지요.

그러니 성욕 자체를 터부시하고 없애려고 하는데 집중하지 마시고, 의식 그 자체로 머무는 데 집중하시기 바랍니다. 이렇게 하면 성욕은 저절로 줄어들기 때문입니다.

의식 그 자체로 머문다는 것은 '내가 존재한다는 느낌', '나라는 느낌' 그 자체에 의식의 초점을 맞추는 것인데, 처음에는 가만히 명상할 때만 이것이 가능하다가 나중에는 일상생활을 하면서도 가능하게 됩니다. 이것은 의식이 의식 그 자체에 주의를 기울이는 방법입니다. 이 수행을 계속해 나가시면 이 세상, 육체, 마음이 끊임없이 변한다는 인식 또한 확고해지는 효과 또한 보실 수 있습니다. 이 '나라는 느낌'이 뭔지 잘 모르시겠다면, 니사르가다타 마하라지의 '아이앰 댓'이라는 책을 읽어보시길 권합니다.

55.내가 있다는 느낌에 초점을 맞추면

내가 존재한다는 느낌 그 자체로서의 의식에 집중하다보면 몸과의 동일시가 옅어져 나 자신이 마치 공기처럼 세상에 편재한 존재라는 것을 알게 되는데 이것을 아는 순간 타인의 본질도 이 의식이고 나와 둘이 아니라는 것을 알게 됩니다. 이런 앎 바탕으로 의식에 초점을 맞추고 세상을 보면, 세상에는 너와 내가 아닌, 오직 '나'만이 존재하는데 여기서 바로 타인을 무조건적으로 사랑할 수 있는 힘이 나옵니다. 왜냐하면 타인이라는 인식은 없고 내가 나 자신에게 베푸는 인식이 자리잡기 때문입니다.

하지만 이 상태는 편재하는 형태로 '나라는 느낌'이 존재하기 때문에 여전히 불완전합니다. '나'가 여전히 미세한 형태로 존재하기 때문입니다.

56.알아차림의 필요성

마음에 대한 알아차림이 필요한 이유 중 하나는 인생에 지대한 영향을 끼치는 생각, 감정, 신념 등을 포착하고 그것들을 변화, 해소시키기 위해서 입니다. 이렇게 하면 의식이 성장하고 더욱더 평화로워집니다.

57.명상의 의미

내 마음에 대한 알아차림을 연습하는 것이 명상의 의의중 하나입니다. 눈 감고 앉아서 하는 것만이 명상이 아닙니다. 설거지하다가, 샤워하다가, 길을 걷다가 내 마음을 알아차리면 그것이 곧 명상입니다.

일상이 명상이 되게 하십시오. 버스와 지하철 안에서 스마트폰을 내려놓고 내면으로 주의를 돌려 떠오르는 마음(기억, 생각, 감정, 의지, 이미지 등)을 마주하십시오.

방금 전 말씀드린 명상의 의미가 마음(생각, 감정 등)에 의식의 초점을 두는 것이었다면, 명상의 또 다른 의미 중 하나는 의식을 의식 그 자체에 집중하는 것입니다. 이것은 초점의 대상이 마음이 아니라 '내가 존재한다는 느낌', '나라는 존재감' 그 자체입니다. 이렇게 하는 중에 올라오는 생각은 그저 흘러가게 두고 무시합니다. 마치 길가는 행인이 내 옆을 지나갈 때 무심히 나도 지나가듯이 말입니다.

명상에 입문한 분께는 앞의 명상을 추천드리고, 명상이 좀 익숙해 지신 분께는 후자의 명상을 추천드립니다. 의식 그 자체에 집중하는 명상을 통해 몸, 마음 탈동일시 진행 속도가 더 빠른 것을 경험했습니다. 왜냐하면, 전자에 설명한 명상의 저변에는 '마음을 알아차리는 나'라는 개념이 계속 따라다니기 때문입니다. 그래서 '나'라는 개념을 해소하기 어렵습니다. 후자의 명상은 '그 마음을 알아차리는 나는 무엇인가?'라는 질문을 가지고 그 '나라는 느낌' 자체에 집중하기 때문에 '나'라는 관념을 소멸시키는 쪽으로 갑니다.

58.나는 마음공부 하는 사람이야

'나는 마음공부하는 사람이야' 이라고 할 때, 내면에서 느껴지는 이 '나'라는 느낌이 바로 에고이고, 자아이고, 내가 있다는 느낌(앎)이고 아상입니다. 이것은 하나의 관념이자 허상입니다. 비록 실재처럼 느껴지지만, 실제로는 존재하지 않는 것입니다. 지금은 비록 이 느낌이 불변하는 것 같고 확고하더라도 이것이 환상이며 '나'라고 할만한 것이 없다는 사실을 끊임없이 되내이십시오.

'나는 마음공부하는 사람이야'라는 것은 하나의 생각이자 관념일 뿐입니다. 아상이 해소되면 내가 있다는 사라지고 '존재한다는 앎' 만 남습니다.

59.아상이 사라지는 과정

마음공부를 해오면서 제가 이해하기로는 아상이 사라지는 과정이 크게 3가지로 나뉘는 것 같습니다.

첫째, 나라는 느낌 즉, 자아가 이 항시 변하는 몸에서 빠져나와 공간에 편재하게 됩니다. 나는 이제 모든 곳에 존재하는 것 같습니다. 하지만 나와 구별되는 타인, 대상의 느낌이 남아 있습니다. 나는 공간처럼 모든 곳에 있는데 저 사물은 여전히 내가 아닌 것으로 느껴집니다.아직 '나'라는 관념이 남아있는 것입니다.

둘째, 저 사람, 저 사물에 대한 상(분별, 생각, 이미지)이 약해지며 모든 것이 내가 됩니다. 곧 우주가 내가 됩니다. 그러나 아직 '나라는 느낌'이 있고 생각이 올라옵니다.

셋째, '나'라는 느낌이 사라지고 그저 존재하는 자각만 있습니다. 잠을 자든, 꿈을 꾸든, 깨어있든 상관없이 자각만 뚜렷합니다. 이때 마음은 죽었기 때문에 생각이 일어나지 않습니다. 영사기에서 빛(의식)을 비추면 스크린(참나) 위에 영화(세계, 나라는 관념, 내 몸을 포함한 여러 몸들)가 펼쳐진다는 참나의 비유에서 스크린으로서의 정체성을 가집니다.

60.자유의지도 한 생각일 뿐

한때 자유의지가 있다고 착각했을 때 이 착각에서 빠져나온 방법은 '자유의지가 어딨어? 내가 오른손을 들어야지하고 방금 마음을 먹은 바로 직후에 내가 이 오른손을 든건데?'라는 생각 자체가 그저 하나의 관념일 뿐이란 것을 알고 놓아버렸을 때였습니다.

61.마음에 끌려가지 말라는 가르침

기적수업: '나는 있는 그대로를 보지 못한다'

대행스님: '일체를 주인공에게 맡겨라'

호오포노포노: 마음에 대고 '사랑해, 고마워, 미안해, 용서해줘'

백성욱 박사님: '네 마음을 부처님께 바쳐라'

라마나 마하르쉬: 마음이 올라오면 '이것을 누가 아는가?'하며 마음에 집중하지 말고 의식에 집중해라.

현재 우리의 지각은 환상인 아상에 기초해 현상을 인식하기 때문에 진실을 보지 못합니다. 따라서, 마음에 기초를 둔 지각을 따라가지 않는 것, 이것이 영성의 기본 가르침 중 하나입니다.

62.마음, 의식 그리고 명상

의식이란 '내가 있다'는 느낌입니다. 마음이란 생각과 감정입니다. 명상이란 의식의 초점을 마음이 아닌 의식 그 자체에 두는 것입니다.

63.마음공부란

마음공부란 자신의 분별을 덜어내는 공부입니다. 분별이 사라질수록 참나의 지혜가 생겨납니다. 이 지혜는 머리를 굴려서 아는 것이 아닌 직관처럼 그냥 알아지는 형식으로 다가옵니다. 마음이 텅 비어있다가 갑자기 어떤 앎이 의식의 장으로 떠오르는 것입니다. 우리가 살면서 '가스불은 껐나?'라는 앎이 갑자기 올라오는 것처럼 말입니다.

64.마음공부의 예시

객관적으로 봤을때 B란 사람이 돈 자랑을 하고 과시를 한다고 합시다. 그것을 보는 A는 B에 대해 시기와 질투심 그리고 그 잘난척 하는 사람에 대한 분노를 느낍니다.

보통의 관점에서는 지나치게 잘난척하는 B의 행동이 경솔하다며 B를 비판할 수 있습니다. 하지만 A가 마음공부를 하는 사람이라면 B에 대해 보통의 관점처럼 시비분별을 하지 않고, 시기와 질투심 그리고 분노를 느끼는 이유가 B가 아닌 자기 자신에게 있음을 압니다.

즉, 자기 마음 안에 있는 '돈을 바라는 마음'이 있는데, 자신은 그걸 가지지 못했으니 B에 대해 질투심이 나고 화가나는 것입니다. B의 언행은 그저 A가 질투하고 분노하는 것에 대해 트리거로써의 역할만 했을 뿐입니다. 즉, B가 재수없다는 것은 나의 돈을 바라는 마음으로 인해 그렇게 보일뿐, 사실이 아닌 착각이라는 것을 자각합니다. 총을 쏠 때 총신(내 마음)에 화약(돈을 바라는 마음)이 없으면 아무리 방아쇠를 당겨도(B의 돈 자랑) 총이 발사(질투, 분노)되지 않습니다. 그리히여, A는 B가 잘난척하는, 재수없는 사람이라는 착각과 내 안의 돈을 바라는 마음을 부처님께 바칩니다.

이것이 시선을 밖이 아닌 내부로 돌리는 마음공부입니다. 원인을 나의 내면에 있다고 보고 분별을 끊임없이 내려놓는 것입니다.

65. '나는 안다/모른다'라는 생각

전 제가 마음공부에 대해 어느정도 안다고 생각했었습니다. 인스타에도 제가 알게 된 것을 나누고자 나름 일기장처럼 작성했었습니다. 그런데 백성욱 박사님의 마음바치는 공부를 시작한 뒤로는 이런 행위가 비록 나눔의 좋은 의미를 가질지라도, '나는 안다'는 생각이 깔려있는 한, 아상을 키우는 연습이라는 것을 알았습니다.

'나는 안다'는 생각을 마음속에 품는 것, 이에 대한 반작용으로 '나는 모른다'는 생각을 내는 것 또한 모두 마음에 고정된 '상'을 가지는 것으로, 깨달음의 지혜를 위해서라면 지양해야 할 것임을 알게 되었습니다.

그리하여 어떠한 생각이든 올라오는대로 알아차려 존경하는 부처님께 드리는 마음으로 바치는 것, 이것을 수행의 요체로 삼아 수행해 나가고 있습니다. 그래서 인스타에 글을 쓸 때도 그저 부처님께 바치는 마음으로 올리고 있습니다.

66.깨달음에 관한 도서 추천

깨달음에 관해 진지하게 관심있으신 분들은 다음에 소개하는 스승님들의 책을 읽어보시길 강력히 추천드립니다.

라마나 마하리쉬님의 '있는 그대로', 니사르가다타 마하라지님의 '아이앰댓'(1순위), '의식수준을 넘어서'(2순위), '무가 일체다'(3순위)를 통해 깨달음에 대한 관념과 명상법에 대해 배우실 수 있습니다.

데이비드 호킨스 박사님의 '의식 지도 해설'(1순위), '의식 수준을 넘어서'(2순위), '호모스피리투스'(3순위)를 통해 깨달음의 길을 걷는데 있어 전반적인 태도를 어떻게 가질 것인지 참고할 수 있습니다.

백성욱 박사님의 법문을 모아 놓은 '분별이 반가울 때가 해탈이다'(1순위)와 그 분의 제자인 김재웅 법사님의 '마음 닦는 법'(2순위)과 김원수 법사님의 '우리는 늘 바라는 대로 이루고 있다'(3순위)를 추천드립니다. 이 책을 통해 참나에 대한 공경심의 중요성과 마음 바치기 그리고 일상 생활에서 마음 씀씀이를 어떻게 가져야 하는지 배울 수 있습니다.

대행스님의 책으로는 '한마음 요전'을 추천드립니다.

67.지금 있는 곳이 수행처

직장이던 가정이던 학교건 지금 내 마음을 들여다보고 바친다면 그곳이 바로 절이요, 교회요, 수행처입니다.

68.내 마음이 아닌 보편적인 인간의 마음

지금 올라오는 마음이 내 개인적인 마음 같지만 사실은 인간이라면 누구나 가질 수 있는 마음입니다. 즉, 우리에겐 개인적인 무의식의 내용만 있는 것이 아닌 집단적인 무의식 다시 말해 인간으로서 공유하는 무의식적인 내용이 있습니다. 따라서 마음을 바칠 때 "'내'가 이 마음을 부처님께 바쳐 해탈시키겠다." 이런 마음보다는 "나와 같이 이런 마음으로 괴로워하는 모든 사람들이 이마음을 해탈시켜 항시 내면의 부처님을 향하길(또는 잘 섬기길)

발원합니다."라고 마음먹고 그 마음을 바쳐보세요. 이런 태도는 연민의 의식수준을 불러일으켜 그 치유 효과가 큽니다. 즉, 내가 남을 돕는 마음을 내면 내 아픔이 치유됩니다.

69.먹고사는 문제의 해결

떠오르는 분별(생각)을 알아차려 바치거나 내려놓는 일이 자연스러워지고 의식을 존재감 또는 현재에 두는 일을 평소 계속해나가다보면, 생존경쟁에서 살아남아야 한다는 등 먹고 사는 고민에서 벗어나게 되고 마음에서 평화와 기쁨이 스물스물 올라오는 것을 경험할 수 있습니다.

평소 문제라고 생각 했던 것이 실제로 문제가 아닌 내 인식의 착각이었다는 환희심과 함께 참나 또는 부처님에 대한 공경심 그리고 어떤 일을 해나갈 수 있다는 자신감이 생겨나게 됩니다.

그러니 얼른 하겠다는 조급한 마음, 뭔가 더 있어야지 행복해질 수 있다는 마음으로 대표되는 바라는 마음(탐심), 화내는 마음(진심), 이정도면 됐다하고 안주하는 마음, 나 잘났다는 우쭐대는 마음으로 대표되는 어리석은 마음(치심)을 꾸준히 바치시고 그저 마음을 현재에 머무는 것을 연습하십시오.

70.탐진치의 내려놓음과 원 세우며 사는 삶

바라는 마음(탐심)이 이루어 지지 못하면 바깥 탓을 하며 성을 내는 진심이 일어나기 쉽고, 바라는 마음이 이루어 지면 '내 잘나서 그랬다' 또는 '이제 좀 됐다(이만 하면 됐다)' 하는 어리석은 마음(치심)이 일어나기 쉬우니, 바라는 마음을 평소에 잘 살펴 그 마음에 대고 '부처님', '하나님' 하며 바치거나 그저 마음을 놓아 버리고, 어떤 일을 해나감에 있어 밥을 먹을 땐 이 음식 주는 존재, 받는 존재 모두 부처님 시봉잘하길 발원, 일을 할 때는 이 일로써 부처님 시봉 잘하길 발원하고 운동을 할 때나, 공부를 할 때나, 사람을 만날 때도 그저 이 일로써 '부처님 잘 시봉하길' 또는 '내 마음 항상 부처님 향하길' 발원 하시면서 살면 됩니다. 실제로 이렇게 해보면 점점 내 마음속에서 화내는 마음, 욕심부리는 마음, 미래에 대한 걱정, 과거에 대한 후회, 나 잘났다는 마음이 점점 떨어져 나가는 걸 경험하실 수 있습니다.

71.무주상보시

　무주상보시를 흔히 주고 나서 대가를 기대하지 않는 보시로 알고 있는 경우가 많습니다. 그런데 이 의미에서 좀 더 깊이 들어가면, 무주상보시는 '준 사람, 받는 사람, 준 물건' 이 세 가지 생각에 집착하지 않는 보시를 말합니다. 자기를 몸으로 여기는 이상 무주상보시는 불가합니다. 몸 동일시에서 벗어나 순수한 의식에 안주한 사람만이 위 세 가지 생각에서 벗어난 보시가 가능합니다. 이런 사람만이 몸, 마음과의 탈동일시를 이뤘기 때문입니다.

　몸, 마음과의 동일시가 남아있는 한 아상이 있게 되고 '내가 주었다'라는 관념이 있게 됩니다. '나'라는 것이 있으면 준 물건, 받는 대상은 세트로 같이 따라붙습니다.

72.명상에 마음바치기와 공경심 더하기

의식에 초점을 둔 명상만 할 때는 '내가 이 수행을 열심히 해서 얼른 몸과의 동일시를 벗어 깨달음을 얻어야 겠다'라는 생각이 마음속 깊이 항상 있었던 것 같습니다. 물론 명상을 아예 안하는 것 보다는 낫지만, 그땐 이런 아상까지는 바치지(내려놓지) 못했습니다.

전생에 많이 닦았던 극소수가 아니라면 명상과 더불어 마음(생각과 감정)을 끊임없이 알아차리고 내려놓는 것이 필요하다고 생각합니다. 더불어 내려놓는 과정을 부처님이나 하나님께 공경심을 가지고 바치는 식으로 하면 아상을 더 효율적으로 해소할 수 있다고 봅니다. 또한, 무엇을 하던지 내면의 부처님 섬기기 위해서 하겠다고 발원하는 것 즉, 부처님에 대한 공경심을 품는 것도 아상을 녹이는 방편에 더해질 수 있겠습니다. 이것은 철저히 이기심을 바치는 길이지요.

73.수도의 의의

운명을 바꿀 수 있다고 하는 것은 자유의지를 가진, 개인적인 나라는 것이 있다는 착각을 기반으로 하는 것입니다. 제가 듣기로 인간으로 살아가는 동안 죽을 날짜나 겪어야 할 일들은 이미 정해져 있습니다.

그러면 수도의 의의는 무엇일까요? 수도의 의의는 운명을 바꾸는 것이 아닌 몸, 마음과의 동일시에서 벗어나 모든 것이 '개인적인 나'의 작용과 무관하게 저절로 일어난다는 것을 깨닫고 벌어지는 일에 대해 초연해져 마음의 평안을 찾는 것입니다.

개인적인 내(순수한 영혼이란 것도 이상)가 있고 수도를 통해 내가 점점 발전해나간다는 개념과 그 과정에서 느껴지는 변화들은 참으로 매력적이어서 집착하고 싶은 마음이 들기도 하지만, 최종적인 깨달음의 관점에서 보면 진실은 아닙니다.

74.지각되는 대상은 '내'가 아니다

바닐라 아이스크림이 있습니다. 눈을 감고 근처에 코를 대면 바닐라 냄새가 나겠지요? 눈을 감고 있기 때문에 아이스크림을 직접 보지는 못하지만 냄새가 나기 때문에 분명히 아이스크림이 있다는 것을 알 수 있습니다.

그림자를 보는 우리는 원형은 보지 못하지만 그림자가 있다는 것을 앎으로써 무엇인가(원형)이 있다는 것을 확신할 수 있습니다. 우리의 본성(불성, 참나)도 이와 같습니다. 몸은 마음이 작동하기 때문에 지각됩니다. 마음은 몸을 초월해 있습니다. 초월해 있다는 말은 몸을 지각하지 않아도 마음은 작용할 수 있다는 말입니다. 예를 들어, 어떤 생각에 골몰히 집중할 때는 몸을 지각하지 못합니다만 마음은 작용하고 있습니다.

마음 즉, 생각과 감정의 존재는 의식이 있기 때문에 알 수 있습니다. 의식은 '내가 있다는 앎'인데, 우리가 기절해서 의식이 잠재되면 세계와 육체 그리고 마음의 존재를 알 수 없습니다. 의식은 마음을 초월해 있습니다. 왜냐하면 의식은 마음 없이도 존재할 수 있으니까요. 명상의 깊은 상태인 삼매에서는 마음이 죽고(가라 앉고) 의식만이 또렷한 상태를 경험할 수 있습니다. 이때는 육체와 마음이 지각되지 않습니다. 그저 확고한 존재감이 있고, 존재감이 존재감 그 자체를 또렷이 의식하고 있고 또한 지복감이 있습니다.

자각(우리의 본성)은 지각 될 수 없습니다. 몸, 마음은 의식에 의해 지각될 수 있지만, 자각은 지각의 주체이기 때문에 지각될 수 없습니다. 앞에서 말씀드린 바닐라 아이스크림과 원형이 이 본성에 해당됩니다. 인간의 육체가 태어나서 3살쯤 되면 잠재된 의식이 무르익어 발현되기 됩니다. 그러면 자신의 존재와 세상에 대한 인식이 시작되는데, 이 의식('나라는 느낌) 덕분에 세상과 몸, 마음에 대한 인식이 자각 위에 드리웁니다. 영화관에서 스크린이 자각이라면 의식은 스크린 위에 비추는 빛입니다. 현미경을 통해 미생물의 세계를 보는 과학자가 있다면 현미경이 의식이고, 과학자는 자각이고 미생물의 세계는 몸, 마음, 세계입니다.

몸이 늙고 병들어 쓰러지면(죽으면) 몸에 의해 유지되던 의식은 다시 잠재된 상태가 되고 세계를 의식할 수 없게 됩니다. 자각은 영향을 받지 않고 있는 그대로입니다. 이것을 수행을 통해 체험으로 아실 수 있습니다. 의식에 초점을 맞추는 수행을 계속하게 되면 몸, 마음과의 동일시가 옅어지고 '내가 있다는 느낌' 또한 자각

- 232 -

위에 드리운 한 관념임을 아실 수 있게 됩니다. 그러면서 지각하는 주체인 자각의 존재에 대한 체험이 가능하게 됩니다. 그 전에 이러한 체험이 어려운 이유는 우리가 첫 째, 몸, 마음과의 동일시가 너무 강해서이고, 두 번째로, 내가 있다는 느낌과의 동일시가 너무 강해서입니다. '내가 있다는 느낌'이 나라고 착각합니다. 하지만, 나는 내가 있다는 느낌이 아니라, 내가 있다는 느낌을 아는 자입니다.

다시 한 번 말씀드리자면 자각은 지각될 수 없습니다. 의식('내가 있다는 앎')까지는 지각될 수 있지만 자각은 자각하는 '주체'이기 때문에 지각될 수 없고, 의식(내가 있다는 느낌)을 지각하는 그 무엇인가가 있다는 확신이 자리잡는 것을 체험이라고 말씀드립니다. 쉽게 예를 들면, 우리가 무엇인가를 볼 때 우리는 그 대상을 보는 눈이 있다는 것을 확신할 수 있습니다. 우리가 소리를 들을 때, 침묵의 배경이 있기에 소리를 들을 수 있다는 것을 아는 것처럼 말입니다.

75.인생은 내려놓음과 수용의 과정

누군가 인생은 '내려놓음과 수용의 과정'이라고 하더군요. 참으로 공감이 되었습니다.

엘리자베스 퀴블러로스라는 학자는 죽음에 이르는 정신상태를 '부정>분노>거래>좌절>수용'의 5단계로 나누었습니다. 이는 육체적 죽음뿐만 아니라, 아상의 소멸에도 적용되는 것 같습니다.

인생에서 내가 원하는대로 이루어지지 않는 것을 받아들이게 되면서 우리는 조금씩 아상을 내려놓고 성숙해지지요.

76.바치는 마음과 명상

일상을 살면서 마음속에서 떠오르는 것이 무엇이던지 신 또는 부처님에게 바치되, 이 삶을 흘러가게 하는것이, 내가 아니라 내면의 신성이라는 믿음으로 개인적인 의지조차 다 맡겨버리십시오. 동시에 생활을 해나가면서 틈날 때마다 주의를 의식 그 자체(관찰자 의식 또는 나라는 느낌)에 두십시오.

관념의 내맡김과 의식을 알아차리는 명상을 꾸준히 하는 것이 수행의 요체인데, 이렇게 해나가실수록 마음은 점점 침묵에 잠겨 평안해지며 문제라고 생각했던 것들이 사라지고 현실은 나의 노력없이 저절로 펼쳐지는 경험을 하실 수 있습니다.

77.공경심이 뒷받침되는 공부

백성욱 박사님이 '선지식 만나기 전에 마음공부는 공부가 아니다'라고 말씀하셨다고 들었습니다. 생각해보니 제가 이에 해당되는 것 같습니다.

공부 중 나타나는 특별한 경험을 중시 여기지 말라는 스승님들의 조언을 접했음에도 불구하고, 명상을 하면서 어떤 신비한 경험을 하면, '나는 발전하고 있구나', '나는 남들과는 다른 좀 더 특별한 사람이구나'하는 자만심과 아상이 마음속 깊은 곳에 자리잡았던 것 같습니다.

호오포노포노도 마음을 따라가지 않는 가르침이지만, 저는 이 가르침이 내면의 참나에 대한 공경심을 그렇게 강조하지 않아 아상의 해소에 비교적 덜 효율적이라고 느꼈습니다.

백성욱 박사님의 마음 바치는 법을 배우고 나서는 부처님을 공경하는 마음으로 떠오르는 모든 마음을 부처님께 바치기 시작했습니다. 모든 일의 목적을 '부처님 잘 시봉하기 위해서'로 잡고 공경심에 바탕을 둔 마음을 내니, 자만심이 점점 해소되고 아상이 해소되는 것을 느꼈습니다.

그 결과 지금은 수행법에 대해 어느 정도 생각의 변화가 있는데, 명상만으로는 부족하고 거기에 마음을 바치는 것과 내면의 참나에 대한 공경심 즉, 절대자에 대한 헌신이 추가되어야 아상의 소멸을 위한 수행이 좀 더 수월하겠다는 것입니다.

78.마음 바치는 방법

날 괴롭게 하는 마음을 공경하는 부처님께 바치는 것은 쉽습니다. 하지만 내가 보기에 좋아 보여, 욕망하는 것들에 대한 마음을 바치는 것은 망설여지기도 하고 어렵습니다.

이럴 때 부처님에 대한 공경심이 빛을 발합니다. 공경심을 바탕으로 내가 보기에 좋은 것도 내가 갖지 않고 부처님께 기꺼이 드리는 마음을 내면서 바치는 것입니다.

식사를 하기 전 허겁지겁 먹고 싶은 마음 바치면서 '이 맛있는 음식 부처님께 드려 부처님 시봉 잘하길 발원'.

좋은 자동차를 보면 단순히 부러워하기 보다 '저 좋은 차 부처님께 바쳐 부처님 기쁘게 해드리길 발원'.

이 목표를 이루고자 하는 욕망을 바치면서, 이 목표를 통해 부처님 시봉 잘하길 발원.

어떤 사람에게 충고를 해줄 때, 내면의 진심(꾸짖고 화내는 마음)7을 바치면서 저 사람에게 이 말을 하여 부처님 시봉 잘하길 발원.

결혼할 사람을 만나고 싶을 때, 불심 깊은 처자를 만나 부처님 시봉잘하길 발원.

일을 할 때, 오늘 하는 이 일을 통해 세상을 이롭게 하고 그리하여 부처님 기쁘게 해드리길 발원. 이렇게 해보시길 권해드립니다.

위 모든 발원문은 언행을 함에 있어 이기심을 녹이는 즉, 아상을 녹이는 태도를 갖추는 것입니다.

79.진정으로 사랑하기 위한 조건

겉으로 드러나는 것만 보면 한 사람을 사랑하기란 매우 어렵게 보입니다. 하지만, 몸이 그 사람이 아니고, 마음이 그 사람이 아니고, 행위가 그 사람이 아니고, 밝은 그 자리가 그 사람의 정체성이라는 것을 자각 함으로써 모든 사람을 부처로 보고 존경하고 사랑하는 마음을 낼 수 있습니다.

동시에 수행을 지속해나가 아상이 사라져 실제로 너, 나라는 관념이 옅어지기 시작할 때라야 남을 나로 보는 사랑을 시작할 수 있습니다.

80.'미륵존여래불'하며 마음 바치기

올라오는 모든 생각이 사실이 아닌 내 분별을 바탕으로 한 착각인 줄 알고 그 마음에 대고 '미륵존여래불' 하고 외우며 형상 없는 부처님께 공경하는 마음으로 바치십시오.

주의할 것은 이 올라오는 마음들을 적대시하지 않는 것입니다. 올라오는 감정과 생각들은 사실 부정적이지도 긍정적이지도 않은데 우리의 좋아하고 싫어함을 나누는 분별하는 마음이 그렇게 나누어 받아들입니다.

마음을 마치 자애로운 어머니가 자기 자식을 대하는 자비와 연민의 마음으로 바라보시고, 자식을 선생님께 맡기는 것처럼 형상 없는 부처님께 공경심을 가지고 마음을 바치십시오. 부처님의 우리의 부정적인 마음도 기꺼이 받아주실 만큼 대자대비하십니다.

이때 주의할 점은 미묘하게 숨어있는 '내가 부처님께 바친다'는 분별 또한 바쳐 마음이 텅 비게 하십시오.

81.원 세우며 하기

'말 한 마디, 행동 하나를 할 때라도 바치면서(원 세우며) 한다.'

이 가르침은 '바른법연구원'에서 알게 된 것인데, 실제로 삶에 적용하면서 마음이 많이 편해지고 업장(마음의 패턴)이 녹는 것을 느낍니다.

저에게는 좋지 않은 마음의 습관이 있는데, 뭔가 집요하게 물고 늘어지고 따지고 을 가지고 통제하려는 진심(화내는, 꾸짖는 마음)입니다. 예를 들면, 관리자로 일하면서 타인에게 어떤 행동을 하라고 요구할 때, 비록 역할에 따른 정당한 요구를 하는 것이지만은 그 마음에는 '당신은 이걸 꼭 해야해, 안그러면 난 화가날거야' 하는, 내 의견을 고집하고 강요하는 마음이 내재되어 있는 것을 느낍니다. 이런 마음의 습관은 아마 전생부터 연습해 온 것처럼 느껴집니다.

그런데 위 가르침을 알고 나서부터는 타인에게 뭔가 요구할때, '이 말을 그 이에게 함으로써 부처님 기쁘게 해드리길 발원' 이라고 진심으로 원을 세우며 하니, 마음속에 느껴지던 진심이 느껴지지 않고 부드럽고 평화로운 마음으로 그 사람에게 말할 수 있는 것을 느낍니다. 그 사람이 반발하면 내가 더 강하게 밀어 붙여야지 하는 긴장감 또한 느껴지지 않습니다.

이것이 바로 자신의 업장을 바꾸는 길이 아니고 무엇이겠습니까? 한 번 실천해보시길 추천해드립니다. 부처님이 아니라 하나님이라고 해도 효과는 동일하리라 생각됩니다. 밥을 먹을 때도, 운동할 때도, 공부할 때도 이기적이지 않게 부처님을 향한 원을 세울 때 그만큼 마음이 밝아지는 것을 느낍니다.

82.내 마음이 아니라 이 마음

부정적인 감정에서 빠져나오고 싶다면 그 불편한 감정을 겪고 있는 모든 사람들이 그 감정에서 빠져나와 평온함을 찾길 기원하면서 그들을 향해 사랑의 마음, 지지의 마음을 내보세요. 그렇게 하면 내 마음은 사랑의 상태로 바뀌기 때문에 부정적인 감정에서 신속히 빠져나오게 됩니다. 이 때 눈물이 왈칵 쏟아질 수도 있습니다.

내 안의 부정성에 대해 '내 감정, 내 생각'으로 보지 말고 인간으로 태어나서 으레 겪을 수 있는 '이 감정, 이 생각'으로 봄으로써, 마음에 대한 동일시를 해제하고 인류 전체가 겪는 고통에 대한 연민의 마음을 내는 것 입니다.

저 같은 경우는 보통 외로움, 열등감, 잘나고 싶은 마음에 이 마음을 적용해 평온함을 경험했습니다.

83.마음공부를 하는 개인적인 나는 없다

'탐진치를 멀리하고 이런저런 마음 씀씀이를 연습하라'는 말을 들을 때면, 우리는 어느샌가 실제로 그런 연습을 하는 개인적인 '내'가 있다고 착각하고 저 미래의 깨달음이라는 희망적인 목표를 마음속에 품으며 노력합니다. 그러면서 중간중간 행복감이나 어떤 신기한 경험을 하면 마음공부 과정에서 어느정도 성과를 맛보고, 불보살의 가피를 받은, 발전해가는 '내'가 있다고 생각하며 이상을 키웁니다.

하지만, 그런 개인적인 '나'는 존재하지 않습니다. 부처님께서도 아상은 하나의 관념이며 환상이라고 했지요. 그렇기 때문에 현재의 '복이 부족하고 마음공부 내용을 잘 모르는 나'라는 개념이나, 위에서 말한 '잘 하고 있는 나'라는 개념을 머리속에서 지워버리십시오. '계속 이렇게 해나가면 언젠가 성불하고 깨달음을 얻겠지' 하는 관념조차 놓아버리십시오.

깨달음을 미래 언젠가 얻어야 할, 달성해야 할 무언가라고 생각하는 이상 깨달음은 요원합니다. 제가 이해하는 깨달음이란 몸, 마음이 나라는 관념을 포함한 모든 관념을 비워 고요하고 평온함으로 가득 찬 자각으로 안주하는 것입니다. 미래에 얻는 무언가가 아니라 시간을 초월해 항상 여기-지금 존재하는 것입니다.

우리는 육체, 마음의 특성을 '나'라고 착각(동일시) 하는데, 육체나 마음은 주체가 아닌 지각되는 객체이며, 고정된 실체없이 수시때때로 인연따라 변화합니다. 그래서 그것들은 내가 아닙니다.

몸, 마음과 동일시되지 않는 한 그것을 하는 개인적인 나는 없습니다. '베풀고 사랑하는 마음을 연습해야겠다'라는 마음이 올라오는 것을 그저 알아차리고, 먹을 것을 베푸는 행동이 일어나는 것을 그저 알아차립니다.

알아차리는 '내'가 있는 것도 아닙니다. 이 나라는 느낌은 의식입니다. 알아차림은 의식의 비개인적인 성질입니다. 참나는 존재하고, 의식은 알아차리고, 의식이 몸과 동일시되면 '알아차리는 내가 있다'가 성립하는 것입니다.

자각이라는 스크린 위에 세상, 몸, 생각과 감정, 나라는 느낌이 모두 통으로 나타나는 것입니다. 나라는 느낌은 진정한 내가 아닙니다. 그 나라는 느낌을 아는 자가 나의 진정한 정체 즉, 불성입니다. 이것은 모든 체험, 언어를 뛰어넘어 있습니다. 왜냐하면 지각될 수 없기 때문이죠. 지각되는 것들로 인해서 지각하는 무엇이 있다는 것을 간접적으로 알 뿐입니다.

나는 '그저 있습니다.' 이것이 구약성서에서 하나님이 자기 자신을 나타내는 말인 I am that I am의 의미입니다.

84.깨달음을 추구하는 것은 매우 드문 일이다

어느 고인이 말씀하시길 마음공부하는 사람은 자신의 몸을 소중히 다루라고 하셨습니다. 자신의 몸을 수많은 생명체(세포들)들이 모여 있는 집합으로 보고 소중히 아껴주세요.

부처님 말씀처럼, 사람으로 태어나는 것은 드문 일이고, 깨달음에 대해 듣는 것은 더욱 드문 일이고, 그것을 추구하고자 하는 마음이 드는 것은 극히 드문 일입니다.

85.갈수록 쉬워진다

알아차림을 통한 몸, 마음과의 탈동일시 연습은 처음엔 조금 힘들 수 있지만 갈수록 쉬워집니다.

떠오르는 생각이나 감정들을 나로 동일시 해서 '나 지금 너무 화가나', '나 지금 너무 우울해' 하는 대신에 '지금 화가 올라오는구나', '지금 우울감이 올라오는 구나'하고 알아차리시고 그것이 사라지면 좋겠다는 마음(회피, 저항)을 품는 대신 그저 알아차리기만 하면 시간이 지날수록 잠잠해집니다.

이때 고비를 더 신속히 넘길 수 있는 방법이 이런 마음이 올라와 괴로움을 겪는 모든 사람들(그 괴로운 마음)을 향해 그들이 괴롭지 않기를 기도하는 마음을 품는 것입니다.

이렇게 내면에서 올라오는 모든 부정적인 마음, 긍정적인 마음을 인간 군상으로 보고 자비의 마음으로 모두 부처님께 바치십시오.

86.자유의지는 마음과의 동일시 때문

생각과 행동은 내 의지와 무관하게 저절로 일어납니다. '5초 뒤부터 과일 이름에 대해서 생각해야지', '과일 이름에는 사과, 바나나, 수박 등이 있어', '이 컵을 내가 5초 뒤에 들어야지'라는 생각 또한 저절로 일어납니다.

생각, 행동과의 동일시가 그것을 내가 일으키게 했다고 착각하게 합니다. 생각을 일으키는 개인적인 내가 있다는 생각은 그저 하나의 관념이다라는 것을 알고 마음이 일어나는 것을 지켜보면 동일시가 신속히 해제되고 '생각, 감정이 인연(환경)따라 저절로 일어나는 구나!'라는 앎이 옵니다. 직접 체험으로 아시게 됩니다.

87.세상은 마음의 그림자다

'세상은 마음의 그림자다'라는 말은 세상은 내 마음(잠재의식)의 반영이라는 뜻입니다. 내 마음이 근원이기 때문에 이것을 다뤄야

하는 결론에 이릅니다.

88.깨달음도 얻고 싶고 세속적 성공도 하고싶고

소위 말하는 '영적인 길을 가면서도 세상에서 어느 정도 성공하는 것'은 참으로 매력적으로 보입니다. 하지만 어느 때인가, 진보가 더 이루어지기 위해서는 세상에서 '이 정도 역할은 해야지' 하는 바람조차 내려놓아야 겠다는 생각이 들 수 있습니다. 왜냐하면 성공하고 싶은 마음, 어느 정도 역할은 해야지 하는 마음의 뿌리에는 몸과의 동일시가 존재하기 때문입니다. 공부가 깊어지면 그저 기도, 명상만 하고 싶어질 수 있고, 그저 앉아서 생각을 떠나 존재하고만 있고 싶어질 수 있습니다. 그러면 일상적인 생활은 어렵게 되겠지요. 이것조차 받아들이고 수행에 전념하는 때가 있을 수 있습니다. 이런 때가 오면 심각하게 생각하지 말고 그저 받아들이세요. 내 걱정을 내려 놓으면 나보다 더 높은 힘 또는 참나가 다 알아서 합니다.

89.그저 알아차리기

내면이 시끄러우면 안 되고 고요해야 한다고 스스로를 얽매고 괴롭히지 마십시오. 이렇게 하는 것은 여전히 몸, 마음에 얽매여 있는 것입니다. 욕구가 올라오면 그렇게 하고 안하고 모두 몸, 마음의 작용이라는 것을 지켜보시고, '내가 그렇게 한다/안한다'는 관념 또한 취하지 마십시오. 그저 가만히 알아차리며 지켜보십쇼.

그저 존재하세요. 그냥 있으세요. 아무것도 하려고 하지마세요. 뭔가 하려는 마음을 내지마세요.

1차적으로, 세계와 몸 그리고 마음을 알아차리는 불변의 주시자로서 정체를 공고히 하십시오. 목이 마르다는 욕구가 감지되고 물을 마시러 가겠다는 생각이 올라오고 육체가 물을 마시러 가서 물을 마시는 일련의 행위가 저절로 일어나는 것을 자각합니다. 몸-마음과의 동일시가 일어나면, 내가 욕구, 생각을 일으키고 물을 마시러 간다가 됩니다. 알아차림(=의식, 내가 있다)에 머물면 동일시가 해제됩니다.

알아차림으로 계속 머물면, 내가 알아차린다는 미묘한 몸 동일시가 있다는 것을 알게되는데, 그러면 '내가 알아차린다는 것을 아는 그것은 무엇인가?'라고 질문하고 오직 모를 뿐의 생각없음의 자리에 머물거나, 내가 있다는 느낌 또는 나라는 느낌에 주의를 집중해보세요. 그리하여 알아차려지는 것, 알아차리는 주체(미묘한 아상), 알아차림의 구분이 사라지고 알아차림만 남습니다. 즉, 너와 나의 구분이 사라지게 됩니다. 아상(나라는 관념)이 있으니 그 상대물인 '너'가 생기는 것인데, '나'가 사라지니, 너도 사라지고 순수한 의식인 알아차림만 남습니다.

90.사실은 잘 먹고 잘 살기를 원하지 않는가

"나는 진리를 추구한다면서 은밀히 나 스스로 몸, 마음의 정체성을 포기하지 않은 채 사실은 수행자라는 정체성 관념을 가지고 잘 먹고 잘살기를 원하지 않은가?" 하고 스스로에게 물어볼 일입니다.

91.존재에 대한 각성

괴로움이 현실을 있는 그대로 받아들이지 못하고 생각으로 지어낸 분별에서 오는 것을 깨닫고 동시에 내면의 불변하는 나의 존재에 대한 각성과 그것에 머무는 즐거움을 알면 굳건한 평화와 희망이 내면에서 피어나는데, 이는 더 이상 나의 행복을 위해 외부의 것을 성취하려고 고군분투할 필요가 없다는 것과 행복의 근원이 불변한다는 깨달음을 바탕으로 합니다.

반대로 내가 지금 불행하다면 내 가치 기준을 어디에 두는지 점검해보는 것이 좋습니다.

92.구원을 위한 고군분투

저 밖에 도움이 필요한 다른 사람(중생)이 있다고 보는 한, 구원자인 '내'가 있고 구원이 필요한 중생들을 위한 고군분투가 있게 됩니다.

시시때때로 변하는 것을 실제로 존재한다고 할 수 없습니다. 존재하는 것에 안주하면 오로지 '나'만 있습니다.

93.의식은 실재하지 않는다

처음에 내면에서 불변하는 관찰자를 발견하면 '나는 관찰자'구나 하는 관념이 떠오릅니다. 이때 관찰하는 나, 관찰되는 대상, 관찰 이렇게 분리가 존재합니다. 즉, 여전히 아상(관찰하는 '나'라는 느낌)이 존재합니다.

이 '나라는 느낌'은 불변하고 실재하는 것 같지만 최종적인 종착지가 아닙니다. 왜냐하면 이때의 '나라는 느낌'은 의식이 여전히 몸과 동일시 하고 있는 상태이기 때문입니다. 이 아상은 실재하지 않는 환상이자 관념이며 해소될 수 있는 것입니다.

지속적으로 관찰자로 존재하여 관찰자의 주의(초점)를 세계, 몸, 마음에 두는 것이 아닌 관찰자 그 자체에 두십시오. 그러면 의식의 무엇과의 동일시가 서서히 해제되며, 나 자신을 정의하는 범위가 넓어지다가, 종국에는 사라지게 되는 경험을 하게 됩니다. 그러다 아예 되돌릴 수 없이 아상이 소멸되면 그 자리에는 순수한 알아차림만이 남는데 이는 '나라는 느낌'이 덫씌워지지 않은 순수한 존재감 그 자체이며 지복감이 동반됩니다. 이것을 힌두교에서는 존재-의식-지복이라고 불렀습니다. 존재하는데 알아차리고 있고 지복감이 있다. 이것은 순수의식의 3가지 측면들입니다. 물이 축축하고 흐르며 투명하다의 특성을 가지고 있는 것처럼요. 존재의식지복을 불교에서는 상락아정의 상태라고 합니다. 이 상태가 항구적이게 되면 이는 몸이 있을 때의 최고의 경지이며, 생시, 꿈, 깊은 잠에서까지 항시 이어집니다.

소리가 들리려면 배경에 침묵이 존재해야 하듯, 순수한 존재감 (존재한다는 느낌)이 나타나려면 그것이 나타나기 위한 배경이 필요한데, 이 배경은 언어로 표현할 수 없는 우리의 '본래 면목'입니다. 여기까지 직접적인 경험으로써 안주하게 되면, 나는 유기체 몸이 나타남으로서 같이 발현되는 의식도 아니며, 태어나지도 않고 죽지도 않음을 확신하고 세상에 영향을 받지 않는 내적인 평안에 머물게 됩니다.

94.일상생활 속의 수행

끊임없이 관찰자로 머물며 관찰자 그 자체에 초점을 두는 것, 이것이 수행의 전부입니다.

알아차림을 놓쳐서 세상에 빠졌다가 다시 관찰자로 존재하고, 다시 놓쳤다가 다시 존재하고, 이렇게 청소하면서, 밥차리면서, 걸어가면서, 대화하면서, 일상생활을 해나가면서 지속해서 그 자리에 머무는 시간을 늘려나가십시오. 그러시면 몸과 마음은 제 할일은 해나가지만, 나는 불변의 주시자로서 점점 자리잡게 됩니다.

알아차림을 놓쳤다고 스스로를 다그치지 마시고 그저 '알아차리지 못한 나는 누군인가'라고 스스로에게 되물으시고 부지런히 다시 관찰자로 머무르시는 것을 반복하십시오.

아상(에고)이 있기 때문에 '내가 놓친다 또는 그 자리에 머문다'라는 개념이 일어나지만, 사실 놓치고 머무는 것은 인연 따라 자연발생적으로 저절로 일어납니다. 에고가 있을 때는 최선을 다해 열심히 수행하세요. 그러나 에고가 사라질 때쯤, 이 모든 것이 사실 저절로 일어나는 구나 알게됩니다. 게임 속에서 아바타로 게임을 즐길 때는 그 게임에 몰입해 최선을 다하세요.

95.주의는 몸, 마음이 아닌 의식에 두기

옛날 조사들은 우선 견성을 먼저 하는데 집중하라고 하셨습니다. 이 말씀을 제가 생각하기에는, 자신의 본래 자리를 모르고 아무리 경 읽고 복지어 봤자, 개인적인 나라는 정체성에서 하는 것이고 이것은 부처님 가르침의 정수(무아)를 빗겨나가는 것이기에 견성을 먼저하라고 하신 것 같습니다. 아직 견성하지 못했다면 일단 '내가 있다는 느낌'을 의식으로 알고 그 느낌이 무엇인지 이해하고 파악해서 그것에 주의를 자꾸 두시기 바랍니다.

흔히 위빠사나 등 명상에서는 몸과 마음에서 일어나는 현상에 주의를 집중하고 흘려보내라고 하는데, 이것도 해로울 것은 없지만, 이것은 빠른 길이 아니고 돌아가는 길이라는 라마나 마하리쉬 스승님의 말씀이 있었고 저도 거기에 동의합니다. 왜냐하면 첫 문단에서 말씀하신 것과 같이 '나라는 느낌'에 집중하는 것이 본성(달)을 바로 보려는 노력이고, 몸, 마음의 변화에 집중하는 것은 달을 가리키는 손가락에 집중하는 것이기 때문입니다.

마하라지님이 말씀하신 것처럼 의식에 계속 주의를 맞추고 있으면 나머지(생계가 저절로 보살펴짐 등)는 저절로 이루어집니다. 저는 이 말씀을 믿고 지금까지 수행해왔는데, 이 말이 사실임을 실감합니다. 생계와 관련된 문제들이 부드럽게 풀려나가고 마음도 안정되고 내적인 수준도 깊어졌습니다. 즉, 몸, 마음과의 동일시도 점점 해제된 것을 경험했습니다. 이는 백성욱 박사님께서도 말씀하신 것으로 아상이 소멸해가는 이유 때문입니다. 즉, '나'라는 것이 아상이므로, '내'가 어떻게 살아가야 하나 이런 고민이 사라지는 것이죠.

Ⅲ.전생, 윤회, 사주, 신통 등 기타 이야기

1.호기심으로 전생을 알고자하는 것

가끔 어떤 경우를 보면 자신의 전생을 기억해내고 그 통찰로서 신체의 증상이 사라지거나 공포증이 사라지는 것을 알 수 있습니다. 이런 경우의 효용을 제외하고 호기심에 전생을 알고자 하는 것은 현재의 괴로움 해결에 별 도움이 되지 않는 것 같습니다. 그저 '과거에 내가 원인지은 어떤 것 때문에 현재 이런 일을 겪고 있구나'라는 정도의 앎만 있어도 현재의 심리적인 괴로움이 많이 줄어듭니다.

저는 호기심에 최면을 이용해 전생을 알기 위해 세션을 받은 적이 있습니다. 하지만 과거 수행자로 살았던 삶을 기억해냈다고 해서 그것이 내 현재 삶의 괴로움 해결에 별 도움이 되지는 않았습니다.

전생에서부터 내려온, 해결되지 못한 카르마(업식)는 현재의 삶에서도 그대로 발현되기 때문에 전생을 알고 싶다면 현재 내가 어떤 생각과 감정을 자주 가지고, 어떤 행동을 하며 삶을 살고 있는지 살펴보면 대략 본인 전생의 모습도 알 수 있습니다. 그리하여 현생의 문제를 해결하면 과거로부터 내려온 문제도 매듭짓게 되는 것입니다. 그러니 괴로움의 원인을 전생의 탓으로 돌리지 말고, 전생을 알려고 애쓰지도 말고, 지금 여기 현재에서 괴로움의 원인을 찾고 그것을 변화시키려면 어떻게 해야 할지에 대해 신경을 쓰는 것이 더 바람직합니다.

2.영혼과 윤회의 존재에 대해 아는 것

저는 책에서는 많이 읽어봤지만 실제로 영혼이란 것을 체험해보지 못했고 그것이 정확히 무엇인지 모릅니다. 단지 개념상으로 영혼이란 것이 있고, 그것은 몸 안에 깃들어 있는 것이고, 몸이 죽으면 몸에서 빠져나와 빛처럼 둥둥 떠다니는 것이라는 내용이 연상됩니다.

저는 20대 초반부터 행복해지기 위해 영혼들의 여행, 웰컴투지구별 등과 같은 영혼, 전생, 윤회 등을 다룬 뉴에이지 류의 책들을 읽기 시작했습니다. 이런 책들을 읽음으로써 '내가 겪는 이 괴로움이 다 내가 태어나기 전 나 스스로가 계획한 것이고 거기에는 영혼의 성장이라는 신성한 뜻이 있다. 이 지구라는 학교에서 태어나는 것은 고락이 있는 인간의 삶을 영혼이 체험함으로써 영혼이 성숙하기 위함이다'라는 개념을 접하게 됐습니다. 살면서 겪는 굵직한 일들(직업, 결혼, 가족 등)은 정해져 있고 사소한 일들은 자유의지에 따라 선택할 수 있다는 내용도 있었습니다. 이런 책들을 읽었을 때 제 마음은 편해졌습니다. 하지만, 이 편안함은 그 책들을 읽을 때뿐이었고, 얼마 지나지 않아 삶 속에서 저는 다시 괴로워졌습니다. 괴로워지면 내가 이것들을 계획했다는 것이 도저히 믿어지지 않았고 영혼으로서의 제가 원망스러워지기도 했습니다.

책을 읽을 때의 편안함과 현실을 부딪쳤을 때 느껴지는 괴로움을 몇 번 반복하자, 지혜에 대한 '지식'을 머릿속에 넣는 것으로 얻는 일시적 편안함은 괴로움에 대한 미봉책에 불과하다는 것을 깨달았습니다. 그래서 진짜 오래도록 행복해지는 방법은 무엇인가 하고 찾다가 깨달음이란 것에 대해 듣고 그것에 관해 공부하기 시작했습니다.

사람마다 영성을 공부하는 데 있어 속도와 방향이 다 다릅니다. 어떤 사람은 10대에 공부를 시작하는 반면, 어떤 사람은 60대에 시작하기도 하고 또 한 평생 시작도 못 해보는 사람도 많습니다. 그리고 마음공부를 시작하면 이곳저곳 기웃거리며 자신에게 맞는 공부를 찾기 시작하는데 이것도 자세히 살펴보면 사람마다 자신이 끌리는 공부가 다릅니다.

영혼과 윤회의 존재를 믿음으로써 카르마라는 것을 믿게 되었습니다. 카르마라는 것은 쉽게 말해 콩 심은 데 콩 나고, 팥 심은 데 팥 난다는 원리를 함축한 단어입니다. 좀 더 쉬운 말로 업보라고 합니다. 이런 믿음은, 믿음을 가진 자로 하여금 다른 사람에게 친절한 태도를 갖게하게 하고, 악의를 가지고 행동하지 않으려는 등 이로운 삶의 태도를 갖추게 하는 것 같습니다. 다만, 영혼, 윤회, 전생과 같은 이런 개념들은 직접 경험해보기 전까지는 단지 개념으로 우리가 가지고 있다는 것을 이해하셨으면 좋겠습니다. 그래서 윤회나 전생 그리고 카르마와 같은 개념들을 머릿속으로 알고도 괴로움이 해결되지 않는다면 자신의 마음에 대한 알아차림 등과 같은 깨달음으로 가는 기본 단계부터 차근차근 밟아 나가길 바랍니다. 왜냐하면 진정으로 마음이 편해지기 위해서는 카르마나 윤회와 같은 개념을 알아 선하게 사는 것도 중요하지만,

몸, 마음과의 탈 동일시를 통한 괴로움의 극복방안도 알아야 하기 때문입니다.

저는 앞에서 얘기한 뉴에이지류 서적들을 읽는 것을 비난하는 것이 아닙니다. 저도 한때는 이런 류의 책들을 열렬히 읽고 마음의 위안을 많이 받았습니다. 하지만 그런 얘기에 대해 안다는 것이 마음공부의 끝이 아니라는 것을 아셨으면 좋겠다는 말을 드리는 것입니다.

3.사주와 전생 그리고 운명

사람들은 사주팔자를 중요하게 생각합니다. 저도 사주를 완전히 무시하지는 않습니다. 흔히 사주대로 산다는 말이 운명대로 산다는 말로 받아들여집니다. 저의 사주를 봐도 자기 예언처럼 된 것인지는 모르지만 얼추 사주대로 살아가고 있는 것 같습니다.

사주가 운명이라고 한다면 전생과의 관계는 어떻게 될까요? 흔히 이번 생에 태어나기 전에 카르마의 균형을 바로 잡기 위해 이 생에서 겪을 여러 체험을 영혼의 상태에서 미리 결정하고 태어난다는 이야기가 뉴에이지류 서적들에 많습니다. 최면으로 전생을 탐구한 정신과 의사, 심리학자, 영적인 능력으로 전생을 읽는 분들이 쓴 책의 내용에는 공통적으로 영혼의 성장을 위해 삶을 미리 계획하고 온다는 내용이 있습니다.

저도 이 얘기들을 믿는 편인데, 이렇게 우리가 미리 결정하고 온 것에는 죽는 날짜, 가족관계, 배우자, 직업, 자식 등 여러 가지가 포함되어 있다고 합니다. 신기하게도 이런 내용들을 사주에서도 대략 알 수 있다는 것입니다. 그래서 저는 사주를 이번 생의 대략적인 이정표라고 봅니다.

이번 생이 정해지는 데는 전생이 반드시 영향을 미쳤을 것이므로 사주는 전생의 결과표이자 이번 생의 이정표라고 봐도 무방한 것입니다. 다만, 내가 만약 이번 생에 손을 다쳤다고 '내가 전생에 누구 손을 다치게 했구나'와 같이 이런 1:1식의 추론은 정확하지 않을 수 있습니다.

예를 들어, 어느 책에서 읽은 내용인데 전생에서 여성들에게 악독하게 군 사람은 이번 생에 카르마의 균형을 맞추기 위해 여성들의 삶을 위해 봉사하는 여성인권 운동가가 되었다는 것입니다. 항상 남을 때렸다고 해서 맞는 과보가 기다리고 있다는 것은 아니라는 것입니다. 그러나 무슨 일이 현생에 벌어지든 그 일에는 내가 의식적으로 알지 못하더라도 반드시 어떤 무의식적인 이유가 있을 것이기 때문에 '아, 결국 이것은 내가 과거에 지은 어떤 원인 때문에 일어난 일이구나'라는 겸허한 받아들임이 필요합니다. 원인을 모를 뿐 다 내가 지어놓은대로 받게 되는 것이기 때문입니다. 이것을 받아들이는 데서 괴로움의 많은 부분이 소멸되기도 합니다. 억울함이 사라지기 때문입니다.

무의식에 원인이 있어 내가 인지하지 못하는 것이지 어떤 일이라도 원인 없이 일어나는 일은 없습니다. 또한 이런 무의식을 정화하는 방법은 금강경 독송, 마음바치기, EFT 등이 될 수 있습니다.

4.운명, 윤회, 깨달음

운명이나 윤회 그리고 깨달음에 대해서 전혀 관심이 없는 많은 사람들은 자유의지를 믿고 인생에서의 자기 수도적인 노력을 강조합니다. 쉽게 말해 '내 인생 내가 원하는 대로 산다'는 것이지요. 하지만 사주, 운명 또는 윤회에 관해 공부를 좀 하고 나면, '아 이게 다 자기 운명이 있는 것이구나'하고 뭔가 내 인생에 정해진 것이 있다는 말을 받아들이게 됩니다. 하지만 실제로 살면서 자유의지가 있다는 느낌을 매 순간 경험하기 때문에 첫 번째로 말씀드린 '내가 노력해서 인생을 바꾼다'라는 개념이 완전히 사라지진 않습니다. 그래서 대부분은 결국 '사람의 인생이란 것은 큰 줄기는 운명처럼 정해져 있고 작고 사소한 부분은 내 개인의 노력으로 바꿀 수 있다'라는 식으로 믿음을 타협합니다.

하지만 깨달음에 관해서 공부하기 시작하면서 자유의지라는 것은 몸, 마음과 동일시 때문에 생긴 환상이라는 것을 알게 되고, 심지어 자유의지란 환상이라는 것이 과학적으로도 증명되었다는 사실을 듣게 됩니다. 깨달은 분들이 한결같이 말씀하시는 것이 깨달으면 즉, 몸, 마음과의 동일시를 완전히 벗어나면, 이 몸은 생각이나 감정 없이도 마치 태엽을 감아놓은 장난감 로봇처럼 저절로 세상에서의 삶을 잘 살아간다는 것입니다. 그리고 운명이라던지 윤회라던지 하는 것이 적용되는 대상은 이 몸, 마음일 뿐이고 나는 몸, 마음을 초월해있기 때문에 윤회하지 않고 운명에도 걸리지 않는다고 말씀 하십니다.

마치 우리가 꿈을 꿀 때를 생각해보십시오. 완전히 생시처럼 또렷한 의식은 아니지만, 의식이 미묘하게 꿈틀거려 꿈 세계가 나타나고 거기서 '나(내가 있다는 앎=꿈을 꾸는 주체)'와 '세상'이 생겨납니다. 이 '내가 있다는 앎'과 '세상'이 누구에게 나타나는 걸까요? 바로 '진정한 나=참나=진아=불성 등'에게 나타나는 것입니다. 앞에서 주체와 객체가 있다고 말씀드렸습니다. 우리가 인식하는 사물이 객체라면 그것을 알아차리는 우리는 주체라는 것입니다. 꿈을 한번 잘 생각해보십시오. 꿈에는 주인공과 세상이 있습니다. 하지만 잘 살펴보면 그 주인공과 세상에 대한 관찰자도 있습니다. 꿈을 꿀 당시에는 이 관찰자에 대한 앎이 대부분 없습니다. 다시 말해, 우리는 꿈을 꿀 때, 꿈꾸는 주인공이 되어서 살아가지, 이게 꿈이라는 자각도 없고, 꿈꾸는 주체에 대한 알아차림도 없습니다. 그런데 이 관찰하는 자리가 바로 우리의 본성입니다. 우리는 의식이 있기 때문에 관찰을 할 수 있는 것입니다.

어쨌든, 여기서 여러 가지 내용의 꿈을 꾼다는 것은 윤회로 비교될 수 있습니다.

그리고 사실 꿈 세상이나 꿈에서 깨고 난 생시 세상이나 별반 다를 바 없습니다. 꿈에서도 '나라는 느낌'과 세상이 있고 꿈에서 깨고 나서도 이것들이 있습니다. 그렇다면 꿈과 생시에서 이 '나라는 느낌'과 세상을 아는 것은 무엇인가요? 말로 표현할 수 없는 바로 이것이 우리의 진짜 참모습입니다.

육체가 죽으면 우리가 죽는 것이 아닙니다. 다만 육체에 의존하는 의식이 다시 잠재되는 것이고, 의식(내가 있다는 느낌)이 사라지기 때문에 세상에 대한 인식도 사라지는 것입니다. 마치 꿈 없는 깊은 잠을 잘 때처럼 되는 것이지요. 육체가 태어나고 3년이 지나면 잠재된 의식이 발현되어 참나에게 존재에 대한 앎과 세상이 비치는 것입니다. 그래서 진정한 나는 태어남도 없고 죽음도 없는 것입니다. 죽고 태어나는 것은 육체이기 때문입니다.

나는 그 무엇으로도 상처받을 수 없으며, 상처받는 것은 기껏해야 몸과 마음입니다. 나는 그것을 단지 알 뿐이며 초연하게 있습니다.

깨달은 사람은 운명이니 윤회니 하는 개념들을 초월합니다. 운명이나 윤회 그리고 영혼이라는 것은 개인적인 자아, 마음의 존재를 의미하는 것이고 개인적인 자아를 초월하고 마음이 소멸된 깨달은 사람에게는 해당되지 않는 '개념'인 것입니다.

괴로움은 현재 처한 상황에 대한 저항에서 비롯됩니다. 괴로움에서 벗어나기 위해선 우선 현재 처한 상황을 있는 그대로 인정하고 받아들이는 것이 중요합니다. 이렇게 현재 상황을 수용하고 내 마음을 바꾸는것부터 시작해야 합니다. 물론 외부 상황을 바꾸려는 노력도 하십시오. 하지만 내 마음을 바꾸려는 노력이 우선입니다.

저 같으면 '내 마음속 어떤 부분이 이런 상황을 불러왔을까'라고 자문하고 그 부분을 찾아내어 변화시킬 것입니다. 마음이 우선 편해지면 주변 상황이 변화하기 시작합니다. 또는, 현재 상황이 변하지 않더라도 그것을 인식하는 나의 인식이 바뀌어 마음이 편해집니다.

5.최면상담사가 되기까지

　제 기억으론 초등학교 6학년 때였습니다. 당시에 안경을 쓰고 있었던 저는 학교에서 친구들과 축구를 하고 있었습니다. 저는 골키퍼였는데, 친구가 찬 공이 골대를 맞고 제 얼굴을 때렸습니다. 안경이 망가졌고, 저는 친구에게 안경에 대해 보상을 해달라고 했습니다. 그렇게 해서 저와 친구 사이에 말다툼이 있었던 것으로 기억하는데, 그러다가 담임선생님 앞으로 불려갔습니다. 제 기억 상으로 그 당시 그 친구는 공부를 잘하던 친구였는데, 담임선생님이 일방적으로 그 친구 편을 들어 저는 상처를 받았습니다. 그리고는 이렇게 생각했습니다. '이 친구가 공부를 잘하니까 선생님이 친구 편을 들어주는구나!' 이 일로 인해 제 마음속에는 공부를 잘해야 이 사회에서 대접받고 살아남을 수 있겠다는 신념이 자리 잡았습니다. 그 뒤로 저는 공부를 열심히 해서 좋은 성적을 낼수 있었지만, 교우관계가 좁았던 것에서 열등감을 느끼고 있던 저는 좋은 성적을 제 자존감의 근원으로 삼았습니다.

　고등학교 1학년 때 강남 8학군의 실력이 쟁쟁한 친구들과 내신 경쟁을 하면서 전교 4위권이 나왔지만, 이 성적이 유지되지 않고 차츰 떨어지자 자존감이 떨어지기 시작했습니다. 성적을 자존감의 근원으로 삼으니 당연한 귀결이었습니다. 경쟁에 따른 스트레스도 만만치 않았습니다. 게다가 저 자신이 예민한 탓도 있고 반에서 좀 놀던 친구들과 사이가 좋지 않아 스트레스도 받고 있었습니다. 체육 교사였던 담임선생님도 공부만 하고 폐쇄적이었던 제가 썩 맘에 들지는 않은 눈치였습니다. 이리 저리해서 심적으로 의지할 데 없었던 저는 학교를 떠나고 싶었습니다. 그래서 결국 수능만으로 대학에 가겠다는 핑계로 자퇴를 하게 됐습니다.

자퇴한 후 검정고시를 봐 고등학교를 졸업한 저는 재수학원에 들어가 수능 준비를 시작했습니다. 그 당시 마음가짐은 우물 안 개구리처럼 공부밖에 몰랐고, 인생을 보는 시각도 좁고 예민하고 불안했습니다. 12월부터 처음 6개월은 미친 듯이 공부했지만, 이상하게도 6월이 되자 책상 앞에 앉아 있지조차 못할 만큼 공부가 하기 싫은 슬럼프가 왔습니다. 그래서 너무나 괴로웠습니다. 머리로는 '내가 이러려고 자퇴한 게 아닌데, 열심히 공부해서 좋은 대학교에 들어가야 하는데'라고 알지만 '공부가 너무 하기 싫고 그냥 쉬고 싶고 아무것도 안 하고 싶다'라는 마음이 들어 괴로웠습니다. 이런 이상과 현실 사이의 괴리로 정말 죽고 싶을 만큼 괴로웠습니다. 지금 생각해보면 잘 쉬지도 않고 마음만 조급해 자신을 밀어붙여 우울증으로 인한 무기력 증상이 나타난 것 같습니다. 병인 것도 모른 채 자신의 의지 탓을 하며 시간을 보냈던 것 같습니다. 제 생을 되돌아보면 10대 후반에서 20살 초반까지가 정말 가장 힘들었던 시기 같습니다.

그렇게 재수학원을 그만두고 나와 한동안 방안에서 게임만 했습니다. 내면이 너무 괴롭다 보니 그 내면을 들여다보지 않기 위해 게임으로 회피한 것입니다. 생각이 부정적으로 흐르다 보니 한국의 이런 교육 현실도 싫어지고 그래서 미국으로 어학연수도 회피식으로 잠깐 다녀오고 입대도 20살에 일찍 했습니다. 군 제대 후, 정신을 차렸지 않을까 싶어 23살에 다시 한번 수능에 도전했지만, 결과는 18세 때와 같았습니다. 6월이 되자 또다시 슬럼프가 와서 포기해버리고 말았습니다. 완벽주의 같은 내면의 태도가 바뀌지 않으니 결과는 같은 것이었습니다.

학원에서 짐을 싸서 집에 오는 길에 느꼈던 처참한 느낌과 생각은 아직도 기억이 납니다. '난 역시 안되는구나', '내가 그러면 그렇지, 뭐 하나 제대로 끝내는 것도 없고 어휴' 이런 생각이 들면서 뭔가 모를 오묘한 쾌감이 들었습니다. 내가 뭘 해도 안되는 놈이란 것을 스스로 증명해 낸 것을, 스스로 나 자신을 망치는 것에 대해 느끼는 은밀한 만족감 같은 것이 있었습니다. 지금은 이런 것이 우리가 에고의 부정성에 탐닉함으로써 즉, 부정적인 감정이나 신념을 따르면서 느끼는 은밀한 쾌락이라는것을 알아 이런 것들을 바치거나 놓아버리지만, 이 당시에는 그런 것을 몰랐습니다.

그 후 공부는 나와 안 맞는다고 생각해 아르바이트를 하고 중앙대 평생교육원에 들어가 경영학과를 다녔지만, 이 역시 취업이 안 될 것 같다는 생각에 끌려가 한 학기만 다니고 포기해버렸습니다. 이런 일련의 일들 사이사이에 방안에서 괴로워하던 시간들이 많았습니다. 이렇게 10대 후반부터 이상과 현실 사이의 괴리로 인해 마음이 괴롭다 보니 비교적 어린 나이 때부터 마음공부를 시작하게 되었고 20대 중반에서야 스스로의 마음을 돌아보고, 예전부터 가져왔던 '공부를 잘해야 살아남는다', '공부를 잘해야 가치 있는 사람이다'라는 신념과 그에 따라 가지고 있던 스스로에 대한 부정적인 자아상을 알아차리고 내려놓았습니다. 그러니 일들이 풀려나갔고 '기술을 배워서 먹고살아야겠다'라는 생각에 대구보건대 치기공과에 들어가 기술을 익혔습니다.

졸업 후 기공사로 일하는 것이 근무환경과 건강상의 이유로 도저히 저와 맞지 않아 20대 후반에 적성을 찾아 여러 일을 거치며 적성에 대해 고민했습니다. 이때가 29살 치과기공사 면허를 딴 후인데, 이 당시에 '더 이상 제 개인의 영달을 위해 살지 않고 타인을 위해서 살 테니 제가 이 사회에서 그저 잘 쓰일 수 있도록 해주십시오'하고 기도했습니다. 그렇게 해서 저 자신의 괴로움 극복 경험을 살리고 그동안 해온 마음공부가 자산이 될 수 있는 심리상담사라는 길을 발견했고, 심리 치유를 위해 최면이라는 도구를 사용하는 최면상담사가 된 것입니다.

최면상담사가 되기 전까지 제 마음속에서 해결해야 할 두 가지 주요한 요소가 있었다면, 첫 번째로, 공부 잘하는 것이 가치 있는 사람이 되는 길이라는 신념과 부정적인 자아상이었고, 두 번째로는 자기중심성이었습니다.

'공부를 못해도 괜찮다, 일하지 않고 방에 우울해하면서 있어도 나는 그저 있는 그대로 나일 뿐이다.'라는 것을 깨닫고 과거의 묵은 신념과 부정적인 감정들을 많이 해결했습니다. 또, 나 자신만 잘 되기 위해 인생에 몰두했던 태도를 포기하고 '타인을 잘 시봉하는 삶을 살게 해주십시오'라는 마음가짐을 가지니 개인적인 고민이 사라지고 인생이 막히는 느낌 없이 풀리기 시작했습니다.

어떻게 보면, 이 사람에 대한 영혼의 인생 설계가, 다른 사람의 마음을 치유하는 인간으로 준비시키기 위해 20대의 좌절을 통해 스스로를 갈고 닦을 수 있게 한 것이 아닌가 하는 생각도 듭니다. 만약 과거의 괴로움과 근 10년간의 마음공부 기간이 없었다면 제가 최면상담사가 될 수 있었을지 스스로 묻게 됩니다. 지금 생각해보면 이런 것들이 모두 준비과정인 것 같고 '인생사 새옹지마'라 라는 말이 떠오릅니다.

6.마음공부의 여정

신과 나눈 이야기, 영혼들의 여행 시리즈, 웰컴투 지구별, 법륜스님의 즉문즉설, 법상스님, 대행스님, 광우스님, 데이비드 호킨스, 에크하르트 톨레, 라마나 마하리쉬, 니사르가다타 마하라지, 달라이라마, 석가모니 부처님, 기적수업, 호오포노포노, EFT, 내면아이 치유, 켄윌버, 에드가 케이시, 박진여, 윤회-전생과 관련된 책들.

이상은 제가 20대 초부터 지금까지 공부했던 책들과 저자들의 목록입니다. 법륜스님의 즉문즉설이라는 유튜브 채널을 배경에 항상 틀어놓고 게임을 했습니다. 법륜스님의 말씀을 마치 바짝 마른 스펀지가 물을 빨아들이듯이 내 것으로 흡수하면서 스님의 긍정적이고 실용적인 삶의 지혜가 제 삶의 태도로 자리 잡게 되었습니다.

광우스님, 영혼들의 여행 시리즈, 박진여 선생님의 저서, 웰컴투 지구별, 기타 윤회-전생과 관련된 책들은 제게 '영혼, 전생, 윤회 그리고 카르마라는 것이 있고 이번 삶은 영혼의 성장과 카르마 정화라는 계획 아래 예정된 것이다'라는 인식을 갖도록 도와주었습니다.

데이비드 호킨스 박사님은 제가 가장 존경하는 분들 중 한 분으로서 그분의 책들과 가르침은 행복으로 가는 기초부터 깨달음에 이르기까지 방대하고도 실용적 내용을 포함해서 제가 평화로운 마음을 찾는 데 큰 도움을 받았습니다.

닐 도날드 월시, 켄윌버, 에크하르트 톨레, 마이클싱어, 이디야 샨티, 라마나 마하리쉬, 니사르가다타 마하라지, 석가모니 부처님, 기적수업, 우주가 사라지다 등 책과 스승님들은 깨달음과 관련되어 명상과 비이원론에 대해서 가르침을 받았습니다. 진정으로 궁극의 평화를 얻기 위해서는 깨달음을 추구하라는 가르침과 그 깨달음을 추구하는 방법에 대해서 알 수 배웠습니다.

호오포노포노, EFT, 내면아이 치유 등의 가르침은 무의식의 감정이나 신념을 정화하여 우리의 카르마를 해소하는 방법들을 가르쳐주었습니다.

정리하자면, 법륜스님의 실용적이고 지혜로운 가르침으로 현실을 살아가는 굳건한 태도를 마련하고, 윤회와 카르마라는 내용을 받아들여 착하게 살려고 하고 또 카르마를 해소하는 삶을 살려는 태도를 가지게 되었으며 마지막으로 내면의 궁극적인 행복을 위해 깨달음을 추구하는 태도를 가지게 된 것입니다. 부처님께서 이런 말씀을 하셨습니다. "사람으로 태어나는 것은 어렵고, 깨달음에 대해서 듣는 것은 드물고, 깨달음을 추구하는 삶을 사는 것은 극히 드물다." 저는 제 삶이 비록 고난이 있었지만, 그 덕분에 행복을 추구하게 되었고 깨달음에 대해서 듣고 그것을 추구하려는 제 마음의 경향성에 대해 깊이 감사함을 느낍니다.

7.초능력 또는 신통력

수행 중 나타나는 신기한 현상은 일시적이며, 그것을 '내'가 일으키는 것도 아니고 저절로 일어나는 현상으로 아시는 것이 아상(에고)의 소멸에 도움이 됩니다. 그저 그런 현상이 저절로 일어나고 사라지는 것을 자각하십시오. '나는 수행을 많이 해서 이런 신통을 부릴 줄 안다'는 함정에 빠지지 마십시오. 에고는 자신의 위대함을 주장하고 싶어 합니다.

8.심리치유과 마음공부

제가 이해하기로 심리치유(심리상담)이 응급수술이라면, 마음공부는 재활 및 예방 치료입니다.

상담사는 상담이 끝난 후에도 내담자가 스스로 잘 살아갈 수 있도록 방향을 제시해줄 수 있어야 한다고 생각합니다.

덧붙여 얘기하자면, 심리상담이 내담자의 상처받은 자아가 세상 속에서 잘 살아갈 수 있게 자아의 힘을 회복하고 건강하게 하는 것이라면, 마음공부는 궁극적으로 자아를 초월하게 한다는 점에서 차이점이 있습니다. 궁극의 행복은 인간이 자아를 초월해 순수의식으로서의 자신을 발견하는 데 있습니다.

9.전생의 존재

전생의 존재를 믿으시기 바랍니다. 직접 경험해보진 못했을 수 있지만, 부처님이 하신 말씀이시니 믿는 마음을 내어보시고, 전생을 꼭 이 몸 받아 태어나기 전이라고 생각하실 필요 없습니다. 과거를 그냥 전생이라고 생각하셔도 무방합니다. 어릴 때부터 연습해온 습관이 현재 어른이 된 이후에도 영향을 미치듯, 과거(생)부터 연습해온 마음 씀씀이가 현생(현재)에서도 영향을 미치는 것입니다. 전생이라는 것이 별다른게 아닙니다.

10.윤회 그리고 삶은 고통이다

'삶은 고'라고 할 때, '이 좋은 삶이 왜 고통이냐'라고 반문할 수도 있겠습니다. 그러나 우리가 살다 보면 좋은 일만 일어나요? 좋은 일 나쁜 일이 번갈아 일어납니다. 우리는 나쁜 일은 겪기 싫어하고 좋은 일만 겪고 싶어 하지만 그것은 불가능합니다. 좋은 일과 나쁜 일은 동전의 양면같은 것이라 떼어낼 수가 없습니다.

사실 좋은 일이라고 할 만한 것도 없고 나쁜 일이라고 할 만한 것도 없습니다. 다 우리가 분별로 만든 것이니까요. 어떤 사람에게 좋은 일이 어떤 사람에겐 나쁜 일입니다. 그 반대도 성립할 수 있습니다. 우리가 어떤 것을 좋아하는 이상 반드시 그 반대급부로 나쁜 일이라는 것이 정해지게 됩니다. 예를 들어, A+ 성적 받는 것을 좋은 것이라고 정하게 되면 그 점수를 못 받는 상황은 나쁜 것이 되어버립니다.

이렇게 좋은 일, 나쁜 일이 관념적으로 정해지게 되고, 세상에 불변하는 것은 없으니, 좋은 일과 나쁜 일을 번갈아 경험하게 됩니다. 이것을 이름하여 윤회라고 합니다. 죽고 태어나고 죽고 태어나는 것만 윤회라고 하는 게 아닙니다. 이렇게 좋고 나쁨이 번갈아 가는 삶 전체를 고라고 표현한 것이 제가 아는 '삶은 고다'의 의미입니다.

이제 깨달음으로 향하는 길에서 모든 관념을 놓아버리는 것이 시작됩니다. 그러면 좋은 일, 나쁜 일이라고 정해놓은 관념을 포기하고 일어나는 일들을 있는 그대로 보기 시작합니다. A+에 대한 선호도 놓아버리고 그 외의 성적에 대한 불호도 놓아버립니다. 그저 일들이 일어나는 대로 좋고 싫음 없이, 저항 없이 받아들입니다. 이렇게 되면 이제 윤회가 사라지게 되는 것입니다. 즉, 좋고 나쁨의 반복이 사라지게 되는 것입니다. 이렇게 관념들이 하나 둘씩 놓아지기 시작하면 이것이 마음의 수준에서 윤회로부터의 해탈입니다. 더 나아가 내가 몸, 마음이다라는 관념에서도 탈피하게 되면 몸, 마음과의 동일시가 끝나 변함없는 자각으로 자리 잡게되고 그러면 이제 생사로부터의 해탈을 이해하게 됩니다.

11.전생과 인과의 도리

착한 사람이 부당한 일을 당하고, 권선징악이 작동하지 않아 보이는 케이스를 이해하기 위해서는 전생과 인과법을 믿고 이해해야 합니다. 전생과 인과의 도리를 이해하지 않고는 세상의 불합리에 대한 분노와 억울함 그리고 혼란함이 마음속에 발생합니다.

전생에 쌓아놓은 공덕을 쓰면서 현생에 잘먹고 잘살지만 악행을 저지르면 쌓아놓은 복은 까먹고 내생에 얻을 불행의 씨앗을 뿌리는 것입니다. 전생에 복을 닦지 못해서 현생에서는 가난하게 살지만 선행을 하는 사람은 내생에 얻을 행복의 씨앗을 뿌리는 것입니다.

몸, 마음과 동일시 되어 있는 이상 전생이나 인과의 도리로부터 자유롭지 않습니다. 그러나 깨달음을 통해 본성의 자리에 안주한 사람은 전생과 인과의 도리마저 초월하여 여여합니다. 복덕을 받는 것은 몸, 마음이지만, 깨달은 자리는 그 몸, 마음을 초월하기 때문입니다. 참고로 금강경에 보면, '보살은 지은 복덕에 집착을 하지 않는다'는 말이 있는데 이 말은 보살이 복을 지었다는 관념을 내지 않는다는 말입니다.

그런데 부처님도 복을 짓는 것을 부지런히 하셨다는 것을 잊지 말아야 합니다. 깨달음도 마음공부 할 수 있는 조건도 다 복이 있어야 온다고 하신 말씀이 기억나네요.

12.건강한 에고와 에고의 초월

심리상담을 통해 건강한 수준의 에고를 만들고, 가슴의 길과 마음의 길을 통해 에고를 초월합니다. 건강한 에고를 위해선 (무의식에 있는=마음속 깊은 곳에 있는) 미해결된 핵심 감정과 역기능적인 신념의 해소가 필요하고, 에고의 초월(아상의 소멸)을 위해서는 자신을 내세우지 않는, 이기적이지 않은 내적인 생활태도와 의식의 몸, 마음과의 탈동일시 연습이 필요합니다.

13.심리치료의 목표

살면서 우리는 여러 사건들을 겪으면서 부정적인 감정들을 경험하는데, 이 감정들을 잘 해소하지 못하면 이것들이 내면에 자리 잡게 됩니다. 또한 비슷한 부정적인 감정을 반복 경험하면 어떤 부정적인 신념이 생깁니다.

무의식에 자리 잡은 이 감정과 신념을 뿌리로 하여 파괴적인 말과 행동이 겉으로 표현되게 됩니다. 심리치료는 이 뿌리를 찾아 파고들어 해소하는 작업입니다. 이 때 상담자는 내담자가 자신의 내면을 자세히 들여다볼 수 있도록 도움을 줍니다.